Inhalt

Einleitung

Zur Benutzung dieser Ausgabe

Die vorliegende Textauswahl wendet sich in erster Linie an Schüler in der fortgeschrittenen Lektürephase. Der Kommentarteil erläutert die einzelnen Textstellen vor allem sprachlich mit dem Ziel des morphologischen, syntaktischen und semantischen Verständnisses. Die traditionelle Gliederung (Buch- und Versangaben) des lateinischen Textes wurde beibehalten; auf sie bezieht sich der Kommentar.

Vorausgesetzt wird die Kenntnis der in Reclams *Standardwortschatz Latein* (Universal-Bibliothek Nr. 19780) enthaltenen Vokabeln; diese werden nicht angegeben, es sei denn, sie erscheinen in einer Spezialbedeutung. Nicht vorausgesetzte Vokabeln werden im Kommentar entweder angegeben oder mit einem Herleitungshinweis versehen, wo sich dies anbietet. Hierzu werden folgende Symbole verwendet: »~« bedeutet ›entspricht‹, »<« bedeutet ›abzuleiten aus‹, »↔« bedeutet ›Gegenteil von‹.

Vokabeln, die auf engem Raum mehrfach vorkommen, werden nur bei ihrem ersten Auftreten angegeben. Der Verweis »→ V« bedeutet, dass das Wort zu dem Vokabular gehört, welches im Anhang dieser Ausgabe im Lernwortschatz aufgeführt ist; dieser Lernwortschatz enthält alle in der Ausgabe häufiger als fünf Mal vorkommenden Vokabeln, die sich nicht im *Standardwortschatz* finden. Da die Angaben im Kommentar nur dem Textverständnis, nicht aber der weiterführenden Wortschatzarbeit dienen sollen, wird dort auf alle nicht unbedingt notwendigen Angaben (z. B. sämtliche Stammformen von Verben, die im Text nur im Präsensstamm auftauchen) verzichtet. Im Gegenzug finden sich die vollständigen Angaben bei den Wörtern im Lernwortschatz des Anhangs, da mit Hilfe dieses Verzeichnisses aktive Wortschatzarbeit betrieben werden kann und soll.

Gleichfalls im Anhang findet sich ein Verzeichnis sämtlicher im Text vorkommenden Eigennamen (auf welches im Kommentar aus Platzgründen nicht jedes Mal einzeln verwiesen wird), ebenso eine Liste vorkommender Stilmittel samt Erklärung und Textbeispielen.

Publius Ovidius Naso

Leben und Werk

Ore legar populi, perque omnia saecula fama,
siquid habent veri vatum praesagia, vivam.

»Ich werde vom Munde des Volkes gelesen werden und, wenn etwas Wahres an den Vorhersagen der Seher ist, zu allen Zeiten durch meinen Ruhm weiterleben.«

Mit diesen Worten schließt Ovid sein größtes Werk, die *Metamorphosen*. Der Dichter ist sich sicher, dass ihm sein Epos zu ewigem Nachruhm und Weiterleben verhelfen wird.

Durch ein anderes Werk hinterlässt Ovid uns Einblicke in sein ereignisreiches Leben. Das 10. Gedicht im vierten Buch der *Tristien* (eines ›Trauergedichts‹ aus der Verbannung) kann man als eine Autobiographie in Versform betrachten. Auch wenn nicht jede Einzelheit dieser poetischen Selbstdarstellung wörtlich zu nehmen ist,[1] so ist

1 Vgl. Holzberg, S. 33 ff.

dieses Gedicht fast die einzige Quelle, die wir zu Ovids Leben in Händen haben.

Publius Ovidius Naso wird am 20. März 43 v. Chr. geboren, genau ein Jahr nach seinem älteren Bruder. Seine Familie stammt aus Sulmo, einer Stadt im Pälignerland, die 90 römische Meilen (etwa 135 km) von Rom entfernt liegt. Der Vater gehört dem Ritterstand an, sein Vermögen ermöglicht den beiden Söhnen eine fundierte Ausbildung in Rom. Dem Wunsch des Vaters nachkommend bekleidet Ovid zunächst die kleineren Ämter des *cursus honorum*.[2] Er nimmt jedoch bald, noch ehe er als Quästor den niedrigsten Rang der Senatorenwürde bekleiden kann, Abstand von einer Karriere als Politiker und Anwalt. Die Dichtung hat ihn in ihren Bann gezogen, er bezeichnet sich selbst als Naturtalent: »Alles, was ich zu schreiben versuchte, wurde automatisch zum Vers.«[3] Der Vater tut dies als brotlose Kunst ab, aber der Sohn lässt sich nicht beirren und wird rasch berühmt. Im Kreis um den Kunstmäzen M. Valerius Messalla Corvinus hört und trifft er die berühmten Dichter seiner Zeit: Horaz, Tibull, der früh verstirbt, und Properz, mit dem ihn eine lange Freundschaft verbindet. Vergil sieht er von fern. Ovids Erstlingswerk *Amores*, eine Sammlung von Liebeselegien, verhilft dem noch jungen Mann fast über Nacht zum Durchbruch. Mit den folgenden Werken feiert er weitere Erfolge und steigt zum ersten Dichter Roms auf.

Im Jahr 8 n. Chr., als er die *Fasti* zur Hälfte vollendet hat und auch die *Metamorphosen* schon weit gediehen sind, trifft ihn ein schwerer Schicksalsschlag: Kaiser Augustus lässt den Dichter verbannen. Obwohl Ovid mit der mildesten Form der Verbannung (*relegatio*) belegt wird

2 *triumvir, decemvir stlitibus iudicandis* (vgl. *Fasti* 4,384).
3 *Tristia* 4,10.

und sein Bürgerrecht und Vermögen behalten darf, ist ihm doch der Ort seines Exils vorgeschrieben: Tomis am Schwarzen Meer, das heutige Konstanza. Ovid selbst hält sich in Bezug auf die Gründe der Verbannung bedeckt, er führt lediglich *carmen et error*[4] an. Man vermutet, dass die Bücher über die Liebeskunst den Unmut des Herrschers erregt haben, der durch seine Sittengesetzgebung der lockeren Moral der Römer entgegentreten wollte. Auch soll Ovid als Mitwisser in den Ehebruch der Augustus-Enkelin Julia verwickelt sein, die im selben Jahr verbannt wird wie er. Doch dies sind eher Vermutungen als belegte Tatsachen.

Ovid ist dreimal verheiratet, die ersten beiden Ehen enden mit der Scheidung, die dritte Gattin lässt der Verbannte in Rom zurück. Die Klagelieder aus der Verbannung legen Zeugnis seiner tiefen Verbundenheit mit dieser Frau ab.

Auch im Exil setzt Ovid sein dichterisches Schaffen fort und verwendet sein Können darauf, ein Ende seiner Verbannung zu erbitten. In den knapp zehn Jahren in Tomis entstehen fünf Bände Klageelegien (*Tristia*) und die *Epistulae ex Ponto*, Kunstbriefe in Versform. Alle Versuche, durch diese nach Rom geschickten Verse eine Begnadigung zu erwirken, bleiben ohne Erfolg: auch Tiberius, der Nachfolger des Augustus, verwehrt dem Dichter die Rückkehr nach Rom. Ovid stirbt 17 oder 18 n. Chr. in Tomis.

Ovids literarisches Wirken lässt sich in drei Schaffensperioden gliedern.

4 *Tristia* 2,207.

1) Liebesdichtung im elegischen Distichon

Mit den *Amores* (Liebeselegien in drei Büchern, um 20 – 15 v. Chr.) begründet der Dichter bereits in jungen Jahren seinen Ruhm. Auf den Spuren von Tibull und Properz bringt er die Gattung der Liebeselegie auf ihren Höhepunkt. Im Unterschied zu seinen Vorgängern treibt der Dichter jedoch sein Spiel mit den überlieferten Themen erotischer Dichtung. Die Rolle als leidenschaftlich liebendes und leidendes Opfer einer meist abweisenden Herrin nimmt man ihm nicht ab, wohl aber die eines Casanova, der die Liebe als Spiel betrachtet und in allen Facetten genießt.

In den *Heroides* oder *Epistulae Heroidum* schlüpft Ovid in die Rolle von liebenden Heldinnen aus dem Mythos, die, von ihren Männern verlassen, Briefe an diese schreiben. Auf 15 Einzelbriefe (z. B. von Penelope an Odysseus oder von Dido an Aeneas) folgen drei Briefpaare.

Zeitgleich mit den *Heroides* entstehen um die Zeitenwende die erotischen Lehrdichtungen. In der *Ars amatoria* (»Die Liebeskunst«, 1 v. Chr.) gibt der Dichter den Männern in zwei Büchern praktische Ratschläge für Beziehungsfragen: Wie man eine Frau findet, sie für sich gewinnt und wie man die Liebe möglichst lange erhält. Das dritte Buch wendet sich an die Frauen. Sie erhalten Hinweise zu Körperpflege und richtigem Auftreten und erfahren, wie sich ein Mann in den Bann ziehen lässt. Die Liebe ist in der *Ars amatoria* kein ernst zu nehmendes, tiefes Gefühl, sondern eine Kunst mit erlernbaren Regeln. Für alle, die sich beim Spiel mit der Liebe doch die Finger verbrannt haben, kann der Ratgeber *Remedia amoris* (»Heilmittel gegen die Liebe«, 2 n. Chr.) helfen, über ein gebrochenes Herz hinwegzukommen. Nur fragmentarisch überliefert ist ein Lehrgedicht über die Schönheitspflege, *De medicamine faciei*.

2) Große erzählende Dichtungen

In den *Fasti* erklärt Ovid im elegischen Distichon Ursachen und Herkunft alter römischer Kulte und Feste (Kalenderdichtung). Als Vorbild dient die aitiologische Dichtung (Ursprungssagen) des Kallimachos von Alexandria. Die sechs Bücher folgen allerdings nur den Festen von Januar bis Juni, das Werk bleibt unvollendet – wohl durch das Exil bedingt.

Die 15 Bücher *Metamorphosen* beschreiben in knapp 12 000 Versen (Hexameter) etwa 250 Verwandlungssagen aus dem Bereich der Mythologie und der römischen Geschichte.

3) Dichtung aus der Verbannung im elegischen Distichon

Die fünf Bücher *Tristia* umfassen 50 Klageelegien von unterschiedlicher Länge. Die Themen erstrecken sich auf so verschiedene Gebiete wie den Abschied aus Rom (1, 3), ein Plädoyer an den Kaiser (2) oder die bereits erwähnte Autobiographie (4, 10).

In den 46 Gedichten *Epistulae ex Ponto* (Kunstbriefe aus der Verbannung am Schwarzen Meer) wendet sich Ovid in Versform an verschiedene Freunde in Rom. Er klagt in diesen vier Büchern über sein Schicksal und bittet um Gnade.

Die epische Gattung

Die *Metamorphosen* des Ovid zählen zur literarischen Gattung des Epos. Dabei handelt es sich um eine längere erzählende Versdichtung im daktylischen Hexameter, die sich inhaltlich meist um eine Heldengestalt aus der Mythologie dreht. Ein umfangreicher Götterapparat, Reden und die vielfältige Verwendung von Bildern, Gleichnissen und schmückenden Beiwörtern kennzeichnen die Gattung.

Mit den *Metamorphosen* reiht sich Ovid in eine illustre Reihe von Dichtern ein, angefangen bei dem Griechen Homer (*Ilias*, *Odyssee*). Livius Andronicus (3. Jh. v. Chr.) bringt das Epos mit seiner Übersetzung der *Odyssee* nach Rom (Versmaß: Saturnier). Zu Ovids Lebzeiten sind das *Bellum Poenicum* des Naevius (3. Jh. v. Chr.) sowie die *Annales* des Ennius (239–169) viel gelesen. Auch das philosophische Lehrgedicht *De rerum natura* des Lukrez (97–55) zählt formal als Epos. Das bekannteste römische Epos, die *Aeneis* Vergils, entsteht zwischen 29 und 19 v. Chr. Die Geschichte des Helden Aeneas, der aus dem zerstörten Troja aufbricht und auf Göttergeheiß eine neue Heimat sucht für sein Volk, dem von Jupiter die Herrschaft über die Welt verheißen ist, wird zum römischen Nationalepos.

Die *Metamorphosen*

Die *Metamorphosen* entstehen in den Jahren 1–8 n. Chr. Nach dem Willen des Dichters hätte das Werk vor seinem Weg in die Verbannung vernichtet werden sollen (er wirft es ins Feuer[5]), durch die bereits existierenden Abschriften aber bleibt es erhalten. Wie schon bei seinen Liebeselegien weicht Ovid von den Gattungsgesetzen ab und verleiht dem Werk seinen ganz eigenen Charakter. Es gibt nicht mehr den einen Helden im Mittelpunkt des Geschehens; vielmehr richtet sich der Fokus auf immer neue Gestalten aus Mythologie und Geschichte. Damit wird auch die Einheit von Zeit, Ort und Handlung aufgehoben.

5 *Tristia*, 1,7,13 ff.

Der Dichter informiert den Leser im Proömium über sein Vorhaben.[6] Es wird um Verwandlungen gehen: *mutatas dicere formas*. Die einzelnen Geschichten sollen aber nicht unverbunden aneinandergereiht werden; vielmehr wird ein *carmen perpetuum* entstehen, ein fortlaufendes Gedicht, das vom Anfang der Welt bis in die Gegenwart des Dichters reicht.

Als Quellen und Vorlagen dienen Ovid unter anderem die Epen Homers und die *Aeneis* des Vergil sowie die uns nicht überlieferten *Heteroiumena* (»Verwandlungen«) des Griechen Nikander von Kolophon (2. Jh. v. Chr.).

Die einzelnen Geschichten drehen sich meist um zwei bis drei Protagonisten und konzentrieren sich auf die Darstellung zwischenmenschlicher Beziehungen und menschlicher Leidenschaften in allen Facetten: Zorn, Angst, Eifersucht und Hochmut werden ebenso thematisiert wie die Liebe. Manche Geschichten haben aitiologischen Charakter und erklären Entstehung und Existenz bestimmter Naturerscheinungen. Mit anderen Sagen will der Dichter seine Leser belehren und davor warnen, die Grenzen zu überschreiten, welche die Götter und die Natur ihnen auferlegt haben. Wieder andere Geschichten kreisen um den Gott Dionysos oder den Göttervater Zeus und seine zahlreichen Affären.

Die Sagen sind verbunden zu Themenblöcken; so finden sich nach den Weltentstehungssagen als Hauptschauplätze der Geschichten zunächst Theben und Athen, dann Troja und schließlich Rom. Oft bildet das Ende einer Geschichte bereits den Beginn der nächsten und erlaubt so einen nahtlosen Übergang. Vernetzung erfolgt auch durch Rückblenden und durch die Fortsetzung von Geschichten über Buchgrenzen hinweg.

6 *Metamorphosen* 1,1–4.

Die *Metamorphosen* schließen mit einem persönlichen Epilog. Ovid wendet sich wieder an seine Leser und prophezeit selbstbewusst ewigen Nachruhm für sich und sein Werk.

Metamorphoses

Auswahl

1. Proömium (1,1–4)

Der Dichter stellt sein Werk vor.

In nova fert animus mutatas dicere formas
corpora; di, coeptis (nam vos mutastis et illas)
aspirate meis primaque ab origine mundi
ad mea perpetuum deducite tempora carmen!

2. Die vier Weltalter (1,89–150)

An die Erzählung über die Entstehung der Welt schließt Ovid die Schilderung der vier Weltalter an, beginnend mit dem glücklichen goldenen Zeitalter. Die Verschlechterung der folgenden Generationen wird durch den sinkenden Wert der Metalle ausgedrückt – silbern, ehern, eisern.

Aurea prima sata est aetas, quae vindice nullo,
sponte sua, sine lege fidem rectumque colebat.
Poena metusque aberant, nec verba minantia fixo
aere legebantur, nec supplex turba timebat
iudicis ora sui, sed erant sine vindice tuti.

1 animus fert mein Geist drängt mich dazu, meine Absicht ist es | **dīcere** hier: besingen ◆ **1 f.** ordne *animus fert fōrmās in nova corpora mutātās dīcere* ◆ **2 coeptum** Plan, Unternehmen | **et** ~ *etiam* | **illās** ⟨*formas*⟩ ◆ **3 aspīrāre** beistehen ◆ **3 f.** ordne *dēdūcite carmen perpetuum ab orīgine mundī ad mea tempora* ◆ **4 dēdūcere** herabführen, geleiten | **tempora** poet. Pl.

◆ **89 prīma** präd. | **serere, serō, sēvī, satum** im Pass.: entstehen | **vindex, -icis** (m.) strafender Richter ◆ **90 rēctum** Subst.! ◆ **91 minārī** drohen ◆ **91 f.** ⟨*in*⟩ **fixō** … **aere** auf öffentlich angeschlagenen Erztafeln ◆ **92 supplex** →V ◆ **93 ōs, ōris** (n.) hier: Spruch, Urteil (poet. Pl.)

Nondum caesa suis, peregrinum ut viseret orbem,
montibus in liquidas pinus descenderat undas,
nullaque mortales praeter sua litora norant;
nondum praecipites cingebant oppida fossae;
non tuba directi, non aeris cornua flexi,
non galeae, non ensis erat: sine militis usu
mollia securae peragebant otia gentes.
Ipsa quoque immunis rastroque intacta nec ullis
saucia vomeribus per se dabat omnia tellus,
contentique cibis nullo cogente creatis
arbuteos fetus montanaque fraga legebant
cornaque et in duris haerentia mora rubetis
et quae deciderant patula Iovis arbore glandes.
Ver erat aeternum, placidique tepentibus auris
mulcebant zephyri natos sine semine flores;
mox etiam fruges tellus inarata ferebat,

◆ **94 peregrīnus** fremd ◆ **94 f.** ordne *nōndum pīnus montibus suīs caesa dēscenderat* ◆ **95 liquidus** →V | **pīnus, -ūs** (f.) Fichte (Fichtenholz wurde zum Schiffbau verwendet) ◆ **96 nūlla** ⟨*lītora*⟩ ◆ **98 tuba** ⟨*aeris*⟩ **dīrēctī** gerade geformte Trompete aus Erz ◆ **99 galea** mit Erz beschlagener Lederhelm | **ēnsis** →V ◆ **100 peragere** leben, verbringen ◆ **101 ipsa, immūnis, intācta, saucia** Bez. auf *tellūs* | **immūnis** frei von Abgaben, ohne Zwang | **rāstrum** Hacke | **intāctus** unberührt ◆ **102 saucius** verwundet, verletzt | **vōmer, -eris** (m.) Pflugschar | **per sē** von sich aus ◆ **103 contentī** ⟨*hominēs*⟩ ◆ **104 arbuteus** Adj. zu *arbutum* Erdbeerbaum (ein in südlichen Ländern beheimateter Baum mit erdbeerähnlichen Früchten; Adj. statt Subst. im Gen.) | **fētus** →V | **montānus, -a, -um** < *mons* | **frāgum** Erdbeere ◆ **105 cornum** Kornelkirsche | **mōrum** Brombeere | **rubētum** Brombeerstrauch ◆ **106 f.** ordne *glandēs, quae dēciderant* | **dēcidere** < *de* + *cadere* | **patulus** mit ausladenden Ästen | **glāns, glandis** (f.) (essbare) Eichel ◆ **107 tepēre** warm sein ◆ **108 mulcēre** sanft berühren, bewegen | **zephyrus** (warmer) Westwind | **sēmen** →V ◆ **109 mox** →V | **frūx** →V | **inarātus** ungepflügt

nec renovatus ager gravidis canebat aristis;
flumina iam lactis, iam flumina nectaris ibant,
flavaque de viridi stillabant ilice mella.
Postquam Saturno tenebrosa in Tartara misso
sub Iove mundus erat, subiit argentea proles,
auro deterior, fulvo pretiosior aere.
Iuppiter antiqui contraxit tempora veris
perque hiemes aestusque et inaequalis autumnos
et breve ver spatiis exegit quattuor annum.
Tum primum siccis aër fervoribus ustus
canduit, et ventis glacies astricta pependit;
tum primum subiere domos; domus antra fuerunt
et densi frutices et vinctae cortice virgae.
Semina tum primum longis Cerealia sulcis

◆ **110 renovāre** hier: wieder umpflügen | **gravidus, -a, -um** ~ *gravis* | **cānēre** weißgrau sein, schimmern | **arista** Ähre ◆ **111 lac, lactis** (n.) Milch | **nectar, -aris** (n.) Nektar | **īre** hier: träge dahinfließen ◆ **112 flāvus** →V | **viridis** grün | **stīllāre** tropfen | **īlex, -icis** (f.) Steineiche | **mel, mellis** (n.) Honig

◆ **113 postquam** + Impf.: seitdem | **tenebrōsus** finster, dunkel ◆ **114 subīre** hier: nachkommen, folgen | **argenteus, -a, -um** < *argentum* | **prōlēs, -is** (f.) ~ *aetas* ◆ **115 dēterior** geringer (an Wert) | **fulvus** rotgelb, rötlich | **pretiōsus, -a, -um** < *pretium* ◆ **116 contrahere, -trahō, -trāxī** verkürzen | **tempus** hier: lange Dauer (poet. Pl.) ◆ **117 aestus, -ūs** (m.) Gluthitze, Sommer | **inaequālis** unbeständig, hier: *inaequālīs*! ◆ **118 f.** ordne ⟨*Iuppiter*⟩ *annum quattuor spatiīs exēgit* | **exigere** hier: einteilen ◆ **119 siccus** trocken | **fervor, -ōris** (m.) Sonnenglut | **ūrere** →V ◆ **120 candēscere, -dēscō, -duī** heiß werden | **glaciēs astricta** hartgefrorener Eiszapfen ◆ **121 subiēre** ~ *subiērunt* (*domōs subīre* in Häusern Unterschlupf suchen, erg. *homines*) | **antrum** Höhle ◆ **122 dēnsus** dicht gewachsen | **frutex, -icis** (m.) Strauch, Pl.: Gebüsch | **vincīre, vinciō, vinxī, vinctum** (ver-, zusammen-)binden | **cortex, -icis** (m.) Rinde | **virga** Zweig, Rute ◆ **123 sēmen** →V | **Cereālis** Adj. zu *Ceres* | **sulcus** Furche

obruta sunt, pressique iugo gemuere iuvenci.
  Tertia post illam successit aenea proles,
saevior ingeniis et ad horrida promptior arma,
non scelerata tamen; de duro est ultima ferro.
Protinus irrupit venae peioris in aevum
omne nefas: fugere pudor verumque fidesque;
in quorum subiere locum fraudesque dolusque
insidiaeque et vis et amor sceleratus habendi.
Vela dabat ventis nec adhuc bene noverat illos
navita, quaeque prius steterant in montibus altis,
fluctibus ignotis insultavere carinae,
communemque prius ceu lumina solis et auras
cautus humum longo signavit limite mensor.
Nec tantum segetes alimentaque debita dives
poscebatur humus, sed itum est in viscera terrae,
quasque recondiderat Stygiisque admoverat umbris,

◆ **124 obruere, -ruō, -ruī, -rutum** versenken | **gemuēre** ~ *gemuerunt* (*gemere, gemo, gemuī* stöhnen, seufzen) | **iuvencus** junger Stier

◆ **125 tertia** präd. | **post illam** ⟨*aetatem*⟩ | **aēneus, -a, -um** < *aes, aeris* (n.) | **prōlēs** ~ *aetas* ◆ **126 horridus** ~ *horribilis* | **prōmptus ad** bereit, neigend zu ◆ **127 scelerāta** Bez. auf *proles* | **ultima** ⟨*aetas*⟩ ◆ **128 prōtinus** sofort | **irrumpere** < *in* + *rumpere* | **vēna** → V | **aevum** → V ◆ **129 nefās** (n.) Frevel | **fugēre**! ◆ **130 subiēre** ~ *subierunt* (*subīre* hier: nachkommen, folgen) | **dolus** List, Täuschung ◆ **132 vēlum** Segel ◆ **133 nāvita** (m.) Seemann ◆ **133 f.** ordne *et carīnae, quae* ◆ **134 īnsultāvēre** ~ *insultaverunt* (*īnsultāre* umhertanzen auf) | **carīna** Schiffskiel, Schiff ◆ **135 lūmen** → V ◆ **135 f.** ordne *humum prius commūnem ceu* (gleich wie) *lūmina sōlis et aurās* ◆ **136 cautus** umsichtig | **sīgnāre** kennzeichnen | **līmes** hier: Grenzlinie | **mēnsor, -ōris** (m.) Vermesser, Feldmesser ◆ **137 seges, -etis** (f.) Saat, Getreide | **alimentum** Nahrung | **dīves** hier: ertragreich ◆ **138 poscēbātur humus** man forderte vom Boden | **vīscera, -um** (n.) Eingeweide ◆ **139 recondere, -condō, -condidī** verbergen | **Stygius** → V | **admovēre** → V ◆ **139 f.** ordne *et opēs, quās* ⟨*terra*⟩ *recondiderat et admōverat, effodiuntur*

effodiuntur opes, irritamenta malorum.
Iamque nocens ferrum ferroque nocentius aurum
prodierat, prodit bellum, quod pugnat utroque,
sanguineaque manu crepitantia concutit arma.
Vivitur ex rapto: non hospes ab hospite tutus,
non socer a genero, fratrum quoque gratia rara est;
imminet exitio vir coniugis, illa mariti,
lurida terribiles miscent aconita novercae,
filius ante diem patrios inquirit in annos:
victa iacet pietas, et virgo caede madentis
ultima caelestum terras Astraea reliquit.

◆ **140 effodere, -fodiō** ausgraben | **irrītāmentum** Anreiz, Verlockung ◆ **142 prōdīre** emporsteigen, zu Tage treten ◆ **143 sanguineus, -a, -um** < *sanguis* | **crepitāre** klirren, dröhnen | **concutere, -cutiō, -cussī, -cussum** schwingen, schleudern ◆ **144 raptum** ~ *rapina* ◆ **145 socer, -ī** Schwiegervater | **gener** →V | **grātia** hier: Zuneigung, Liebe ◆ **146 imminēre** + Dat. hier: trachten nach | **exitium** Tod, Vernichtung ◆ **147 lūridus** blass machend | **terribilis** schrecklich, furchtbar | **aconītum** Gift (des Eisenhuts) | **noverca** Stiefmutter ◆ **148 ante diem** vorzeitig | **patriī annī** die (verbleibenden) Lebensjahre des Vaters | **inquīrere, -quīrō in** + Akk.: forschen nach (mittels Wahrsagern) ◆ **149 madēre** + Abl.: triefen von ◆ **149 f.** ordne *Astraea virgō ultima* (präd.) *caelest⟨i⟩um terrās caede madentīs* (!) *relīquit*

3. Deukalion und Pyrrha (1,318–415)

Nach der Sintflut, mit der Jupiter das frevelnde Menschengeschlecht vernichtet hat, sind Deukalion und Pyrrha als einzige Überlebende der Katastrophe auf dem Parnass gestrandet.

Hic ubi Deucalion (nam cetera texerat aequor)
cum consorte tori parva rate vectus adhaesit,
Corycidas nymphas et numina montis adorant
fatidicamque Themin, quae tunc oracla tenebat:
non illo melior quisquam nec amantior aequi
vir fuit aut illa metuentior ulla deorum.
Iuppiter ut liquidis stagnare paludibus orbem
et superesse virum de tot modo milibus unum,
et superesse vidit de tot modo milibus unam,
innocuos ambo, cultores numinis ambo,
nubila disiecit nimbisque aquilone remotis
et caelo terras ostendit et aethera terris.
Nec maris ira manet, positoque tricuspide telo

◆ **318 hīc** auf dem Parnass | **aequor** →V ◆ **319 cōnsors, -sortis torī** »Genossin des Ehebetts«: Gemahlin | **ratis, -is** (f.) Floß, Schiff | **adhaerēre** hängen bleiben, landen ◆ **320 adōrāre** < *ad* + *orare* ◆ **321 fātidicus** weissagend | **tunc** damals | **ōrāc⟨*u*⟩la** das delphische Orakel ◆ **322 amāns aequī** gerechtigkeitsliebend ◆ **322 f.** ordne *nōn quisquam vir melior nec amantior aequī fuit illō* ◆ **323** ordne ⟨*non*⟩ *ūlla metuēntior deōrum* ⟨*fuit*⟩ *illā* ◆ **324 liquidus** →V | **stāgnāre** überschwemmt sein | **palūs, -ūdis** (f.) stehendes Gewässer | *Iuppiter … nūbila disiēcit* ◆ **327 innocuus** ~ *innocens* | **ambō** →V | **cultor, -ōris** (m.) Verehrer, Anbeter ◆ **328 nūbilum** Wolken | **disicere, -iciō, -iēcī** auseinandertreiben, auflösen | **nimbus** Wolke, Gewölk | **aquilō, -ōnis** (m.) Nordwind ◆ **329 aethēr** →V ◆ **330 pōnere** ~ *deponere* | **tricuspis tēlum** Dreizack

mulcet aquas rector pelagi supraque profundum
exstantem atque umeros innato murice tectum
caeruleum Tritona vocat conchaeque sonanti
inspirare iubet fluctusque et flumina signo
iam revocare dato: cava bucina sumitur illi,
tortilis in latum quae turbine crescit ab imo,
bucina, quae medio concepit ubi aëra ponto,
litora voce replet sub utroque iacentia Phoebo;
tum quoque, ut ora dei madida rorantia barba
contigit et cecinit iussos inflata receptus,
omnibus audita est telluris et aequoris undis
et, quibus est undis audita, coercuit omnes.
Iam mare litus habet, plenos capit alveus amnes,
flumina subsidunt collesque exire videntur;
surgit humus, crescunt loca decrescentibus undis,

◆ **331 mulcēre** besänftigen, beruhigen | **rēctor pelagī** der Herrscher des Meeres: Neptun | **profundum** Tiefe, Meer ◆ **331 ff.** ordne *vocat ... caeruleum Trītōna* ◆ **332 exstantem, tēctum** Bez. auf *Tritona* (= Abk.); *exstāre* herausragen | **umerus** Schulter | **innātus** hier: angewachsen | **mūrex, -icis** (m.) Purpurschnecke ◆ **333 caeruleus** meeresblau | **concha** Muschel, Muschelhorn des Triton ◆ **334 īnspīrāre** + Dat.: hineinblasen ◆ **335 cavus** gewölbt, hohl | **būcina** Trompete (= Horn des Triton) | **illī** ~ *ab illo* ◆ **336 tortilis** gewunden | **in lātum crēscere** sich weiten | **īmus turbō, -inis** die innerste Windung (= das Mundstück) ◆ **337 f.** ordne *būcina, quae lītora sub utrōque Phoebō iacentia vōce replet, ubī aëra ⟨in⟩ mediō pontō concēpit* | **aëra concipere** Luft aufnehmen, sich mit Luft füllen | **pontus** →V ◆ **338 sub utrōque Phoebō** im Osten und im Westen ◆ **339 madidus** feucht, nass (Bez. auf *barba* Bart) | **rōrāre** triefen ◆ **340** ⟨*bucina*⟩ **contigit et cecinit** | **receptūs canere** zum Rückzug blasen | **īnflāre** hineinblasen ◆ **341 aequor** →V ◆ **342** ordne ⟨*bucina*⟩ *coercuit omnēs* ⟨*undas, a*⟩ *quibus audīta est* ◆ **343 plēnus** hier: immer noch angeschwollen | **alveus** Flussbett ◆ **344 flūmina** hier: Wasserstand der Flüsse | **subsīdere, -sīdō** fallen, sinken ◆ **345 loca** hier: Land | **dēcrēscere** zurückgehen

postque diem longam nudata cacumina silvae
ostendunt limumque tenent in fronde relictum.
  Redditus orbis erat; quem postquam vidit inanem
et desolatas agere alta silentia terras,
Deucalion lacrimis ita Pyrrham affatur obortis:
»O soror, o coniunx, o femina sola superstes,
quam commune mihi genus et patruelis origo,
deinde torus iunxit, nunc ipsa pericula iungunt,
terrarum, quascumque vident occasus et ortus,
nos duo turba sumus; possedit cetera pontus.
Haec quoque adhuc vitae non est fiducia nostrae
certa satis; terrent etiamnum nubila mentem.
Quis tibi, si sine me fatis erepta fuisses,
nunc animus, miseranda, foret? Quo sola timorem
ferre modo posses? Quo consolante doleres!
Namque ego (credo mihi), si te quoque pontus haberet,
te sequerer, coniunx, et me quoque pontus haberet.
O utinam possim populos reparare paternis

◆ **346 diēs** ~ *tempus* | **nūdāre** entblößen, offen legen | **cacūmen** →V ◆ **347 līmus** Schlamm | **frōns** →V

◆ **348 redditus** hier: wieder erstanden | **quem** ~ *orbem* ◆ **349 dēsōlātus** verödet, verlassen | **alta silentia agere** in tiefem Schweigen liegen ◆ **350 affārī** ansprechen | **oborīrī** zum Vorschein kommen, hervorbrechen ◆ **351 soror** gemeint hier: Cousine | **superstes** überlebend ◆ **352 patruēlis orīgō** gemeinsame Herkunft (die Väter sind Brüder) ◆ **353 torus** →V ◆ **354 terrārum … turba** ⟨*hominum*⟩ Bevölkerung der Erde | **quāscumque** soweit sie | **ortus** ⟨*solis*⟩ ◆ **355 possīdere, -sīdō, -sēdī** in Besitz nehmen | **pontus** →V ◆ **356f.** ordne *haec quoque adhūc nōn* (= *nondum*) *satis certa fīdūcia vītae nostrae est* | **haec quoque** die Tatsache, dass sie überlebt haben | **vīta** hier: Weiterleben | **fīdūcia** Garantie ◆ **357 etiamnum** auch jetzt noch | **nūbilum** Wolken ◆ **358 quis tibī … animus foret** (= *esset*)? Wie wäre dir zumute? ◆ **359 miserandus** beklagenswert | **quō-modo!** ◆ **361 pontus** →V | **habēret** hier: verschlungen hätte ◆ **363 reparāre** neu erschaffen | **paternae artes** →ENV Deucalion

artibus atque animas formatae infundere terrae!
Nunc genus in nobis restat mortale duobus.
Sic visum superis: hominumque exempla manemus.«
Dixerat, et flebant: placuit caeleste precari
numen et auxilium per sacras quaerere sortes.
Nulla mora est: adeunt pariter Cephesidas undas,
ut nondum liquidas, sic iam vada nota secantes.
Inde ubi libatos irroravere liquores
vestibus et capiti, flectunt vestigia sanctae
ad delubra deae, quorum fastigia turpi
pallebant musco stabantque sine ignibus arae.
Ut templi tetigere gradus, procumbit uterque
pronus humi gelidoque pavens dedit oscula saxo
atque ita »Si precibus« dixerunt »numina iustis
victa remollescunt, si flectitur ira deorum,
dic, Themi, qua generis damnum reparabile nostri
arte sit, et mersis fer opem, mitissima, rebus!«

◆ **364 animam īnfundere** Leben einhauchen | **terra fōrmāta** geformter Lehm, Tongebilde ◆ **366 vīsum** ⟨*est*⟩ ~ *placuit* | **superī** →V | **exempla** präd. ◆ **368 sors** hier: Orakel(sprüche) ◆ **369 pariter** hier: zusammen | **Cēphēsidae undae** (gemeint ist die kastalische Quelle) ◆ **370 ut … sīc** zwar … aber | **liquidus** →V | **vadum** Flussbett | **secāre** durchströmen, -fließen ◆ **371 inde** ~ *ex undis* | **lībāre** schöpfen | **irrōravēre** ~ *irroraverunt* (*irrorare* + Dat.: sprengen auf, benetzen [als Reinigungsritual vor heiligen Handlungen]) | **liquor, -ōris** (m.) Wasser ◆ **372 vestīgia flectere** die Schritte lenken ◆ **373 dēlūbrum** Heiligtum (poet. Pl.) | **fastīgium** Giebel(feld) ◆ **374 pallēre** fahl, grünlich sein | **muscus** Moos ◆ **375 tetigēre** ~ *tetigerunt* (*tangere* ~ *attingere* erreichen) | **prōcumbere** sich (nieder)werfen ◆ **376 prōnus** vornüber geneigt | **gelidus** →V | **pavēre** ~ *timere* | **ōsculum** →V | **saxō** ⟨*templi*⟩ ◆ **378 vincere** hier: rühren, bewegen | **remollēscere** sich milde, gnädig stimmen lassen | **flectere** hier: abwenden ◆ **379 reparābilis** zu beheben, ersetzbar | **quā … arte** ◆ **380 rēs mersae** (*mergere* versinken) die versunkene Welt | **opem ferre** Hilfe bringen | **mītis** →V

Mota dea est sortemque dedit: »Discedite templo
et velate caput cinctasque resolvite vestes
ossaque post tergum magnae iactate parentis!«
Obstupuere diu: rumpitque silentia voce
Pyrrha prior iussisque deae parere recusat,
detque sibi veniam pavido rogat ore pavetque
laedere iactatis maternas ossibus umbras.
Interea repetunt caecis obscura latebris
verba datae sortis secum inter seque volutant.
Inde Promethides placidis Epimethida dictis
mulcet et »Aut fallax« ait »est sollertia nobis,
aut pia sunt nullumque nefas oracula suadent!
Magna parens terra est: lapides in corpore terrae
ossa reor dici; iacere hos post terga iubemur.«
Coniugis augurio quamquam Titania mota est,
spes tamen in dubio est: adeo caelestibus ambo
diffidunt monitis; sed quid temptare nocebit?
Descendunt velantque caput tunicasque recingunt

◆ **381 sors** hier: Orakelsprüche ◆ **382 vēlāre** verhüllen | **resolvere** ~ *solvere* ◆ **384 obstupuēre** ~ *obstupuerunt* (*obstupescere, -stupesco, -stupui* staunen)

◆ **386 pavidus, -a, -um** < *pavor* | ordne ⟨*deam*⟩ *pavidō ōre rogat* ⟨*, ut*⟩ *sibi veniam det* | **pavēre** ~ *timere* ◆ **387 māternus, -a, -um** < *mater* | **umbra** hier: Geist des Verstorbenen, Totenruhe (Pyrrha nimmt das Orakel zunächst wörtlich!) ◆ **388 f.** ordne *intereā sēcum repetunt et inter sē volūtant verba sortis datae, obscūra caecīs latebrīs* (in rätselhafte Dunkelheit gehüllt) ◆ **389 volūtāre** angestrengt nachdenken über ◆ **390 Promēthīdēs** Sohn des Prometheus | **Epimēthis** (Akk.: *-ida*) Tochter des Epimetheus ◆ **391 mulcēre** besänftigen, beruhigen | **sollertia** Einsicht, Scharfsinn | **nōbīs** ~ *mihi* ◆ **392 nefās** (n.) Frevel ◆ **395 augurium** Auslegung des Orakels ◆ **396 ambō** →V ◆ **397 diffīdere, -fīdō** + Abl.: misstrauen | **monitum** Weisung, Mahnung ◆ **398 dēscendunt** ⟨*e templo*⟩ | **vēlāre** verhüllen | **re-cingere**

et iussos lapides sua post vestigia mittunt.
Saxa (quis hoc credat, nisi sit pro teste vetustas?)
ponere duritiem coepere suumque rigorem
mollirique mora mollitaque ducere formam.
Mox ubi creverunt naturaque mitior illis
contigit, ut quaedam, sic non manifesta videri
forma potest hominis, sed uti de marmore coepta
non exacta satis rudibusque simillima signis.
Quae tamen ex illis aliquo pars umida suco
et terrena fuit, versa est in corporis usum;
quod solidum est flectique nequit, mutatur in ossa,
quae modo vena fuit, sub eodem nomine mansit,
inque brevi spatio superorum numine saxa
missa viri manibus faciem traxere virorum
et de femineo reparata est femina iactu.
Inde genus durum sumus experiensque laborum
et documenta damus, qua simus origine nati.

◆ **399 iussōs** übers.: wie befohlen | **vestīgia** ~ terga | **mittere** ~ *iacere* ◆ **400 vetustās** das hohe Alter (der Sage) ◆ **401 pōnere** ~ *deponere* | **dūritiēs, -ēī** (f.) Härte | **coepēre** ~ *coeperunt* | **rigor, -ōris** (m.) Starre ◆ **402 mollīre** →V | **morā** mit der Zeit | **dūcere fōrmam** Gestalt annehmen ◆ **403 mox** →V | **mītis** →V ◆ **404 manifēstus** deutlich ausgeprägt ◆ **404 f.** ordne *ut* (zwar) *quaedam fōrma hominis vidērī potest, sīc* (aber) *nōn manifēsta* ◆ **405 uti** ~ *ut* | **marmor, -oris** (n.) Marmor ◆ **406 exigere** hier: fertig ausarbeiten | **rudis** kunstlos, unbearbeitet ◆ **407 f.** ordne ⟨*ea*⟩ *pars ex illīs* ⟨*saxis*⟩, *quae* | **ūmidus** feucht | **sūcus** Saft, Flüssigkeit ◆ **408 terrēnus** erdig | **in ūsum corporis** zum Nutzen des Körpers = zu Muskeln ◆ **409 solidus** fest, massiv | **nequīre** nicht können ◆ **410 vēna** →V ◆ **411 nūmen superōrum** Walten der Götter ◆ **411 f.** ordne *saxa virī manibus missa* | **mittere** ~ *iacere* ◆ **412 trāxēre** ~ *traxerunt* (*faciem trahere* Gestalt annehmen) ◆ **413 reparāre** neu erschaffen | **iactus, -ūs** (m.) Wurf ◆ **415 documentum** Beweis

4. Apoll und Daphne (1,452–567)

Nach dem Sieg über die Pythonschlange begründet Apoll zur Erinnerung daran die pythischen Spiele. Die Sieger werden mit Eichenlaub bekränzt, da es den Lorbeer noch nicht gibt …

Primus amor Phoebi Daphne Peneia, quem non
fors ignara dedit, sed saeva Cupidinis ira.
Delius hunc nuper, victa serpente superbus,
viderat adducto flectentem cornua nervo
»Quid« que »tibi, lascive puer, cum fortibus armis?«
dixerat; »ista decent umeros gestamina nostros,
qui dare certa ferae, dare vulnera possumus hosti,
qui modo pestifero tot iugera ventre prementem
stravimus innumeris tumidum Pythona sagittis.
Tu face nescio quos esto contentus amores
irritare tua, nec laudes assere nostras!«
Filius huic Veneris »Figat tuus omnia, Phoebe,
te meus arcus« ait; »quantoque animalia cedunt
cuncta deo, tanto minor est tua gloria nostra.«

◆ **452** Ellipse! | **Pēnēia** Tochter des Peneus ◆ **453 fors** Zufall ◆ **454 serpēns, -entis** (f.) Schlange, hier der Python | **455 addūcere nervum** die Saite spannen | **cornū** → V ◆ **456 quid tibī?** Was willst/machst du? | **lascīvus** ausgelassen, übermütig ◆ **457 decēre** + Akk.: sich gehören für | **umerus** Schulter | **gestāmen, -inis** (n.) Bewaffnung | **nostrōs** (Apoll spricht von sich im Pl.) ◆ **458 fera** wildes Tier ◆ **459 pestifer, -a, -um** Unheil bringend | **iūgerum** ein Morgen Land (2500 qm) ◆ **459 f.** ordne *Pȳthōna tumidum pestiferō ventre tot iūgera prementem strāvimus* ◆ **460 tumidus** (von Gift) angeschwollen | **sagitta** → V ◆ **461 fax** → V | **nesciō quōs amōrēs** irgendwelche Liebschaften ◆ **462 irrītāre** anstiften | **asserere, asserō** für sich beanspruchen ◆ **463 figere** hier: treffen, durchbohren | **tuus** ⟨*arcus*⟩ ◆ **464 arcus** → V | **cēdere** hier: nachstehen ◆ **465 nostrā!**

Dixit et eliso percussis aëre pennis
impiger umbrosa Parnasi constitit arce
eque sagittifera prompsit duo tela pharetra
diversorum operum: fugat hoc, facit illud amorem;
quod facit, auratum est et cuspide fulget acuta,
quod fugat, obtusum est et habet sub harundine plumbum.
Hoc deus in nympha Peneide fixit, at illo
laesit Apollineas traiecta per ossa medullas;
protinus alter amat, fugit altera nomen amantis
silvarum latebris captivarumque ferarum
exuviis gaudens innuptaeque aemula Phoebes:
vitta coercebat positos sine lege capillos.
Multi illam petiere, illa aversata petentes
impatiens expersque viri nemora avia lustrat
nec, quid Hymen, quid Amor, quid sint conubia curat.
Saepe pater dixit: »Generum mihi, filia, debes!«
Saepe pater dixit: »Debes mihi, nata, nepotes!«

◆ **466 aëre ēlīsō** nachdem er durch die Luft geflattert war | **penna** → V | **percutere** → V ◆ **467 impiger** unverdrossen, flink | **umbrōsus, -a, -um** < *umbra* | **arx** hier: Gipfel ◆ **468 sagittifera pharetra** der Köcher, der die Pfeile trägt | **prōmere, prōmō, prōmpsī** hervorholen ◆ **469 opus** hier: Aufgabe, Eigenschaft ◆ **470** ⟨*telum,*⟩ **quod facit** ⟨*amorem*⟩, … | **aurātus** ~ *aureus* | **cuspis, -idis** (f.) Spitze | **fulgēre** glänzen, schimmern | **acūtus** scharf, spitz ◆ **471 obtūsus** stumpf | **harundō** → V | **plumbum** Blei ◆ **472 nympha Pēnēis, -idis** Daphne | **fīgere in** + Abl. hier: jdn. treffen ◆ **473 Apollineus** Adj. zu Apoll | **trāicere** hier: durchbohren, im Dt.: beiordnen | **medulla** das Innerste, Herz ◆ **474 prōtinus** sofort ◆ **475 latebra** Versteck | **fera** wildes Tier ◆ **476 exuviae, -ārum** (abgezogenes Tier-)Fell | **in-nūptus** ↔ *nuptus* | **aemulus** nachahmend, -eifernd ◆ **477 vitta** Band | **positōs sine lēge** unfrisiert herabfallend | **capillus** → V ◆ **478 petiēre** ~ *petiverunt* | **āversārī, āversor, āversātus sum** zurückweisen ◆ **479 expers virī** unverheiratet | **nemus, -oris** (n.) Hain, Wald | **āvius** einsam, abgelegen | **lūstrāre** durchstreifen ◆ **481 gener** → V ◆ **482 nāta** → V | **nepōs, -ōtis** (m.) Enkel

Illa velut crimen taedas exosa iugales
pulchra verecundo suffuderat ora rubore
inque patris blandis haerens cervice lacertis
»Da mihi perpetua, genitor carissime«, dixit
»virginitate frui! Dedit hoc pater ante Dianae.«
Ille quidem obsequitur, sed te decor iste quod optas
esse vetat, votoque tuo tua forma repugnat:
Phoebus amat visaeque cupit conubia Daphnes,
quodque cupit, sperat, suaque illum oracula fallunt,
utque leves stipulae demptis adolentur aristis,
ut facibus saepes ardent, quas forte viator
vel nimis admovit vel iam sub luce reliquit,
sic deus in flammas abiit, sic pectore toto
uritur et sterilem sperando nutrit amorem.
Spectat inornatos collo pendere capillos
et »Quid, si comantur?« ait. Videt igne micantes
sideribus similes oculos, videt oscula, quae non
est vidisse satis; laudat digitosque manusque
bracchiaque et nudos media plus parte lacertos;

◆ **483 taeda iugālis** Hochzeitsfackel | **exōsus** + Akk.: voll Hass auf ◆ **484 rubor verēcundus** Schamröte | **suffūderat ōra** das Gesicht war übergossen ◆ **485 blandus** schmeichelnd | **cervīx** → V | **lacertus** → V ◆ **486 genitor** → V ◆ **487 virginitās, -ātis** Jungfräulichkeit ◆ **488 obsequī** nachgeben | **decor, -ōris** (m.) Schönheit, Anmut ◆ **488 f.** ordne *decor iste tē vetat esse, quod optās* ◆ **489 repūgnāre** sich widersetzen ◆ **492 stipula** Stoppel, Strohhalm | **dēmere, dēmō, dēmpsī, dēmptum** abernten | **adolēre** verbrennen | **arista** Ähre ◆ **493 fax** → V | **saepēs, -is** (f.) Zaun | **viātor, -ōris** (m.) Wanderer ◆ **494 admovēre** → V | **sub lūce** bei Tagesanbruch ◆ **495 in flammās abīre** in Flammen aufgehen ◆ **496 ūrere** → V | **sterilis** hier: unerwidert, hoffnungslos | **nūtrīre** nähren ◆ **497 collum** → V | **capillus** → V ◆ **498 cōmāre** kämmen, frisieren | **micāre** strahlen, funkeln ◆ **499 sīdus** → V | **ōsculum** → V | ordne *et nōn satis est ⟨ea⟩ vīdisse* ◆ **500 digitus** → V ◆ **501 bracchium** → V | **plūs mediā parte** mehr als zur Hälfte | **lacertus** → V

si qua latent, meliora putat. Fugit ocior aura
illa levi neque ad haec revocantis verba resistit:
»Nympha, precor, Penei, mane! Non insequor hostis;
nympha, mane! Sic agna lupum, sic cerva leonem,
sic aquilam penna fugiunt trepidante columbae,
hostes quaeque suos: amor est mihi causa sequendi!
Me miserum! Ne prona cadas indignave laedi
crura notent sentes et sim tibi causa doloris!
Aspera, qua properas, loca sunt: moderatius, oro,
curre fugamque inhibe, moderatius insequar ipse.
Cui placeas, inquire tamen: non incola montis,
non ego sum pastor, non hic armenta gregesque
horridus observo. Nescis, temeraria, nescis,
quem fugias, ideoque fugis: mihi Delphica tellus
et Claros et Tenedos Patareaque regia servit;
Iuppiter est genitor; per me, quod eritque fuitque
estque, patet; per me concordant carmina nervis.
Certa quidem nostra est, nostra tamen una sagitta
certior, in vacuo quae vulnera pectore fecit!

◆ **502 sī** ⟨*ali*⟩**qua**⟨*e partes corporis*⟩ **latent** | **ōcior** schneller, geschwinder | **aurā**! ◆ **503 revocantis** ⟨*Apollinis*⟩ | **resistere** hier: stehen bleiben ◆ **504 hostis** präd. ◆ **505 agna** Lamm | **cerva** Hirschkuh ◆ **506 aquila** Adler | **penna** →V | **trepidāre** zittern, flattern | **columba** Taube ◆ **508 prōnus cadere** hinfallen ◆ **509 crūs, crūris** (n.) Bein | **notāre** hier: zerkratzen, ritzen | **sentis, -is** (m.) Dorn ◆ **511 inhibēre** verlangsamen, zügeln ◆ **512 inquīrere** ~ *quaerere* ◆ **513 pāstor** →V | **hīc**! | **armentum** Rind, Rinderherde ◆ **514 horridus** struppig, roh | **temerārius, -a, -um** < *temeritas* ◆ **515 ideō** ~ *itaque* | **Delphicus** Adj. zu *Delphi* | **tellūs** hier: Gebiet, Gegend ◆ **516 Patareus** Adj. zu Patara | **rēgia** Königspalast ◆ **517 genitor** →V ◆ **518 patēre** hier: sichtbar, offenkundig sein | **concordāre** harmonieren, übereinstimmen ◆ **519 f.** ordne ⟨*sagitta*⟩ *nostra certa est* | **certus esse** hier: sicher treffen | **nostra ..., nostrā**! | **sagitta** →V

Inventum medicina meum est, opiferque per orbem
dicor, et herbarum subiecta potentia nobis.
Ei mihi, quod nullis amor est sanabilis herbis
nec prosunt domino, quae prosunt omnibus, artes!«
  Plura locuturum timido Peneia cursu
fugit cumque ipso verba imperfecta reliquit,
tum quoque visa decens; nudabant corpora venti,
obviaque adversas vibrabant flamina vestes,
et levis impulsos retro dabat aura capillos,
auctaque forma fuga est. Sed enim non sustinet ultra
perdere blanditias iuvenis deus, utque monebat
ipse Amor, admisso sequitur vestigia passu.
Ut canis in vacuo leporem cum Gallicus arvo
vidit, et hic praedam pedibus petit, ille salutem;
alter inhaesuro similis iam iamque tenere
sperat et extento stringit vestigia rostro,
alter in ambiguo est, an sit comprensus, et ipsis
morsibus eripitur tangentiaque ora relinquit:

◆ **521 inventum** Subst.! | **opifer, -a, -um** hilfreich ◆ **522 subiecta** ⟨*est*⟩ ◆ **523 ei mihī!** weh mir! | **sānābilis** heilbar

◆ **525** ⟨*Apollinem*⟩ **locūtūrum** | **Pēnēia** Tochter des Peneus ◆ **526 imperfectus** unvollendet (Daphne flieht, während er noch redet) ◆ **527 vīsa** ⟨*est*⟩ | **decēns** anmutig, schön | **nūdāre** < *nudus* | **corpora** poet. Pl. ◆ **528 obvium flāmen, -inis** (n.) Gegenwind | **vibrāre** flattern lassen ◆ **529 impulsī capillī** das fliegende/schwingende Haar | **retrō dare** nach hinten wehen ◆ **530 ultrā** hier: ~ *diutius* ◆ **531 perdere** hier: verschwenden | **blanditiae, -ārum** schmeichelnde Worte ◆ **532 admissō passū** mit raschem Schritt ◆ **533 lepus, -oris** (m.) Hase | **Gallicus** gallisch, aus Gallien | **arvum** →V ◆ **535 inhaesūrō similis** wie einer, der schon zuschnappen will ◆ **536 extendere, -tendō, -tendī, tentum** vor-, ausstrecken | **stringere, stringō** streifen | **vestīgium** hier: Ferse, Lauf | **rōstrum** Schnauze ◆ **537 ambiguum** Zweifel ◆ **538 morsus, -ūs** (m.) Biss | **ēripere** hier: sich entziehen

sic deus et virgo: est hic spe celer, illa timore.
Qui tamen insequitur pennis adiutus Amoris,
ocior est requiemque negat tergoque fugacis
imminet et crinem sparsum cervicibus afflat.
Viribus absumptis expalluit illa citaeque 543
victa labore fugae spectans Peneidas undas 544
»Fer, pater«, inquit »opem! Si flumina numen habetis, 546
qua nimium placui, mutando perde figuram!«
Vix prece finita torpor gravis occupat artus,
mollia cinguntur tenui praecordia libro, 549
in frondem crines, in ramos bracchia crescunt,
pes modo tam velox pigris radicibus haeret,
ora cacumen habet: remanet nitor unus in illa. 552
  Hanc quoque Phoebus amat positaque in stipite dextra
sentit adhuc trepidare novo sub cortice pectus
complexusque suis ramos, ut membra, lacertis
oscula dat ligno; refugit tamen oscula lignum.
Cui deus »At, quoniam coniunx mea non potes esse,

◆ **540 quī:** Apoll | **penna** →V ◆ **541 ōcior** schneller, geschwinder | **requiēs** (Akk. Sg. *requiem*) < *requiescere* | **fugācis** ⟨*nymphae*⟩ (*fugax, -acis* rasch dahineilend, flüchtend) ◆ **542 crīnis** →V | **sparsus** zerzaust | **cervīx** →V | **afflāre** anhauchen, mit dem Atem berühren ◆ **543 absūmere** verbrauchen | **expallēscere, -pallēscō, -palluī** erbleichen, blass werden | **citus** schnell, eilig ◆ **544 Pēnēis, -idis** Adj. zu *Peneus* (*Pēnēidās* Akk. Pl.) ◆ **545** wird ausgelassen ◆ **546 ops, opis** (f.) Hilfe ◆ **548 torpor, -ōris** (m.) Starre, Trägheit | **artus** →V ◆ **549 praecordia, -ōrum** (n.) Zwerchfell, Brust | **liber, librī** hier: Bast, Rinde ◆ **550 frōns** →V | **crīnis** →V | **rāmus** →V | **bracchium** →V ◆ **551 piger, pigra, pigrum** zäh | **rādīx, -īcis** (f.) Wurzel ◆ **552 cacūmen** →V | **nitor, -ōris** (m.) Glanz, Schönheit | **ūnus** präd. ◆ **553 stīpes, -itis** (m.) Baumstamm ◆ **554 trepidāre** zittern, flattern | **cortex, -icis** (m.) Rinde ◆ **555 complectī, -plector, -plexus sum** umfassen, umarmen | **rāmus** →V | **lacertus** →V ◆ **556 ōsculum** →V | **līgnum** Holz, Baum | **refugere** zurückweichen vor

arbor eris certe« dixit »mea! Semper habebunt
te coma, te citharae, te nostrae, laure, pharetrae;
tu ducibus Latiis aderis, cum laeta triumphum
vox canet et visent longas Capitolia pompas;
postibus Augustis eadem fidissima custos
ante fores stabis mediamque tuebere quercum,
utque meum intonsis caput est iuvenale capillis,
tu quoque perpetuos semper gere frondis honores!«
Finierat Paean: factis modo laurea ramis
annuit utque caput visa est agitasse cacumen.

5. Europa (2,836–3,5)

Jupiter ruft seinen Sohn Merkur zu sich, um ihm einen vertraulichen Auftrag zu geben.

Sevocat hunc genitor nec causam fassus amoris
»Fide minister« ait »iussorum, nate, meorum,
pelle moram solitoque celer delabere cursu,

◆ **559 coma** → V | **cithara** Leier, Laute | **laurus, -ī** (f.) Lorbeer | **pharetra** Köcher ◆ **560 triumphus** hier: Triumphgesang ◆ **561 Capitōlium** Kapitol (poet. Pl.) | **pompa** Festzug ◆ **562 postis, -is** (m.) **Augustus (-a, -um)** Türpfosten des Augustus (des Kaisers Hauseingang war ab 27 v. Chr. mit Lorbeer geschmückt) | **cūstōs** hier Fem. ◆ **563 forēs, -ium** (f.) Tür | **quercus, -ūs** (f.) Kranz aus Eichenlaub (der in der Mitte der Tür hing) ◆ **564 intōnsus** ungeschoren | **iuvenālis** hier: ewig jung | **capillus** → V ◆ **565 frōns** → V ◆ **566 laurea** Lorbeer | **rāmus** → V ◆ **567 annuere, -nuō, -nuī** beifällig nicken | **agitāsse** ~ *agitavisse* | **cacūmen** → V

◆ **836 sēvocāre** beiseite rufen | **hunc** (gemeint ist Merkur) | **genitor** hier: Jupiter | **causam amōris** ~ *causam colloquii amorem esse* ◆ **837 minister, -trī** (m.) Helfer | **iussum, -ī** < *iubere* | **nātus** → V ◆ **838 dēlābī** hinabgleiten, -fliegen

quaeque tuam matrem tellus a parte sinistra
suspicit (indigenae Sidonida nomine dicunt),
hanc pete, quodque procul montano gramine pasci
armentum regale vides, ad litora verte!«
Dixit, et expulsi iamdudum monte iuvenci
litora iussa petunt, ubi magni filia regis
ludere virginibus Tyriis comitata solebat.
Non bene conveniunt nec in una sede morantur
maiestas et amor; sceptri gravitate relicta
ille pater rectorque deum, cui dextra trisulcis
ignibus armata est, qui nutu concutit orbem,
induitur faciem tauri mixtusque iuvencis
mugit et in teneris formosus obambulat herbis.
Quippe color nivis est, quam nec vestigia duri
calcavere pedis nec solvit aquaticus auster.
Colla toris exstant, armis palearia pendent,

◆ **839 tuam mātrem** (gemeint ist Maia) | **ā parte sinistrā** links (vom Olymp aus gesehen) ◆ **839 f.** ordne *hanc* ⟨*tellurem*⟩ *pete, quae* ◆ **840 indigena** (m.) Einheimischer | **Sīdōnida** Adj. zu Sidon, erg. *tellurem* ◆ **841 montānus, -a, -um** < *mons* | **grāmen, -inis** (n.) Gras | **pāscī** →V ◆ **841 f.** ordne *et quod armentum rēgāle pāscī vidēs* | **842 armentum** Großvieh, Rinder | **rēgālis** königlich ◆ **843 iamdūdum** hier: sofort | **iuvencus** junger Stier ◆ **844 fīlia … comitāta** ◆ **845 Tyrius** Adj. zu *Tyrus* ◆ **846 bene convenīre** gut zusammenpassen, vertragen ◆ **847 māiestās** hier: göttliche Würde | **scēptrum** Szepter ◆ **848 trisulcus īgnis** (dreizackiges Feuer) Blitz ◆ **849 nūtus, -ūs** (m.) Wink, Nicken | **concutere, -cutiō** erbeben lassen, erschüttern ◆ **850 faciem induī** Gestalt annehmen | **taurus** →V ◆ **851 mūgīre** brüllen, muhen | **tener** →V | **fōrmōsus** →V | **obambulāre** herumspazieren ◆ **852 quippe** freilich, nämlich | ⟨*ei*⟩ **color nivis est** ◆ **853 calcavēre** ~ *calcaverunt* (*calcāre* [mit dem Fuß] treten, stampfen) | **solvere** hier: schmelzen | **aquāticus** Regen bringend | **auster, -trī** (m.) Südwind ◆ **854 collum** →V (poet. Pl.) | **torus** hier: Muskel | **exstāre** hier: auffallen durch, strotzen vor | **armus** (bei Tieren) Vorderbug | **palear, -āris** (n.) Wamme (Hautfalte am Hals von Rindern)

cornua parva quidem, sed quae contendere possis
facta manu, puraque magis perlucida gemma.
Nullae in fronte minae, nec formidabile lumen:
pacem vultus habet. Miratur Agenore nata,
quod tam formosus, quod proelia nulla minetur;
sed quamvis mitem metuit contingere primo,
mox adit et flores ad candida porrigit ora.
Gaudet amans et, dum veniat sperata voluptas,
oscula dat manibus; vix iam, vix cetera differt;
et nunc alludit viridique exsultat in herba,
nunc latus in fulvis niveum deponit harenis;
paulatimque metu dempto modo pectora praebet
virginea plaudenda manu, modo cornua sertis
impedienda novis; ausa est quoque regia virgo
nescia, quem premeret, tergo considere tauri,
cum deus a terra siccoque a litore sensim
falsa pedum primis vestigia ponit in undis;

◆ **855 parva** ⟨*sunt*⟩ ◆ **855 f.** ordne *sed contendere possīs quae* (= *cornua*) *manū* ⟨*hominis*⟩ *facta* ⟨*esse*⟩ ◆ **856 perlūcidus** durchscheinend | **gemma** Edelstein, *gemmā*! ◆ **857** Ellipsen! | **minae, -ārum** Bedrohung, Drohungen | **formīdābilis** erschreckend, furchterregend | **lūmen** →V ◆ **858 habēre** hier: ausstrahlen | **Agēnore nāta** Tochter des Agenor (Europa) ◆ **859 fōrmōsus** ⟨*est*⟩ →V | **proelia nūlla minārī** nicht angriffslustig sein ◆ **860 quamvīs** →V | ⟨*taurum* [→V]⟩ **mītem** (*mitis* →V) ◆ **861 mox** →V | **candidus** →V | **porrigere, -rigō** hinhalten, entgegen strecken ◆ **862 gaudet** ⟨*deus*⟩ **amāns** ◆ **863 ōsculum** →V | **vix iam** kaum noch ◆ **864 allūdere** spielen, sich im Spiel nähern | **viridis** grün | **exsultāre** herumspringen ◆ **865 fulvus** rötlich, goldgelb | **niveus** →V ◆ **866 paulātim** allmählich | **dēmere, dēmō, dēmpsī, dēmptum** ablegen, beseitigen ◆ **867 virgineā plaudenda manū** damit sie (seine Brust) von der Mädchenhand gekrault wird | **sertīs impedīenda novīs** damit sie (die Hörner) von frischen Blumengirlanden umwickelt werden ◆ **869 premere** hier: sitzen auf | **taurus** →V ◆ **870 siccus** trocken | **sēnsim** nach und nach ◆ **871 falsa vestīgia pōnere** trügerisch die Schritte lenken | **prīmae undae** flaches Wasser

inde abit ulterius mediique per aequora ponti
fert praedam: pavet haec litusque ablata relictum
respicit et dextra cornum tenet, altera dorso
imposita est; tremulae sinuantur flamine vestes.

Iamque deus posita fallacis imagine tauri
se confessus erat Dictaeaque rura tenebat,
cum pater ignarus Cadmo perquirere raptam
imperat et poenam, si non invenerit, addit
exilium, facto pius et sceleratus eodem.

6. Narcissus und Echo (3,339–510)

Von Juno mit Blindheit bestraft, erhält Tiresias von Jupiter als Ausgleich die Gabe, in die Zukunft sehen zu können.

Ille per Aonias fama celeberrimus urbes
irreprehensa dabat populo responsa petenti;
prima fide vocisque ratae temptamina sumpsit
caerula Liriope, quam quondam flumine curvo

◆ **872 medius pontus** das hohe Meer | **aequor** →V ◆ **873 pavēre** ~ *timere* | **haec:** Europa ◆ **874 dextrā** ⟨*manu*⟩ | **cornum, -ī** ~ *cornū, -ūs* →V | **altera** ⟨*manus*⟩ | **dorsum** Rücken ◆ **875 tremulus** flatternd | **flāmine sinuāre** sich im Wind bauschen

◆ **1 pōnere** ~ *deponere* | **fallāx, -ācis** täuschend, trügerisch | **taurus** →V ◆ **2 tenēre** hier: erreichen, bewohnen ◆ **3 pater īgnārus** (gemeint ist Agenor) | **perquīrere** ~ *quaerere* ◆ **5** Ellipse

◆ **339 ille** (gemeint ist Tiresias) | **Āonius** Adj. zu *Aonia* ◆ **341 irreprehēnsus** untadelig, unwiderlegbar | **respōnsum** hier: Orakelspruch | **fidē** Gen. Sing. (arch.) | **vōx rata** (gültiges Wort) Erfüllung der Weissagung | **temptāmen, -inis** (n.) Probe, Erprobung ◆ **342 caerulus** meeresblau | **quondam** →V | ⟨*in*⟩ **flūmine curvō** in einer Flusswindung

implicuit clausaeque suis Cephisos in undis
vim tulit: enixa est utero pulcherrima pleno
infantem nymphe, iam tunc qui posset amari,
Narcissumque vocat. De quo consultus, an esset
tempora maturae visurus longa senectae,
fatidicus vates »Si se non noverit« inquit.
Vana diu visa est vox auguris: exitus illam
resque probat letique genus novitasque furoris.
Namque ter ad quinos unum Cephisius annum
addiderat poteratque puer iuvenisque videri:
multi illum iuvenes, multae cupiere puellae;
sed fuit in tenera tam dura superbia forma,
nulli illum iuvenes, nullae tetigere puellae.
Aspicit hunc trepidos agitantem in retia cervos
vocalis nymphe, quae nec reticere loquenti
nec prior ipsa loqui didicit, resonabilis Echo.
Corpus adhuc Echo, non vox erat et tamen usum

◆ **343 implicāre, -plicō, -plicuī** umschlingen, fangen | **claudere** ~ *includere* ◆ **344 vim ferre** Gewalt antun | **ēnītī, ēnītor, ēnīxus sum** gebären | **uterus** Mutterleib, Schoß ◆ **345 nymphē** →V | **tunc** damals ◆ **346 quō** (gemeint ist Narcissus) ◆ **347 senecta** ~ *senectus* ◆ **348 fātidicus** weissagend | **vātēs, -is** Seher, Wahrsager | **sē nōvisse** hier: sich selbst erkennen ◆ **349 vānus** hier: ohne Sinn, Bedeutung | **augur, -uris** (m.) Weissager, Seher | **illam** ⟨*vocem*⟩ ◆ **350 probat** ~ *probant* | **lētum** →V | **novitās, -ātis** < *novus* ◆ **351 ter quīnī** ⟨*annī*⟩ dreimal je fünf (= 15) Jahre | **Cēphīsius** Sohn des Cephisos ◆ **353 cupiēre** ~ *cupiverunt* ◆ **354 f.** ordne *dūra superbia in tenerā fōrmā fuit* | **tener** →V ◆ **355 tetigēre** ~ *tetigerunt* ◆ **357 trepidus** ängstlich, scheu | **in rētia agitāre** in Fangnetze treiben (bei der Jagd) | **cervus** Hirsch ◆ **358 vōcālis** plaudernd | **nymphē** →V | **reticēre loquentī** schweigen, wenn ein anderer spricht | **prior** hier: als erste | **resonābilis** widerhallend

◆ **359 Ēchō erat adhūc corpus** Echo bestand noch aus Fleisch und Blut ◆ **359 f.** ordne *nōn alium ūsum ōris habēbat, quam* (als) *nunc habet*

garrula non alium, quam nunc habet, oris habebat,
reddere de multis ut verba novissima posset.
Fecerat hoc Iuno, quia, cum deprendere posset
sub Iove saepe suo nymphas in monte iacentis,
illa deam longo prudens sermone tenebat,
dum fugerent nymphae. Postquam hoc Saturnia sensit,
»Huius« ait »linguae, qua sum delusa, potestas
parva tibi dabitur vocisque brevissimus usus«,
reque minas firmat. Tantum haec in fine loquendi
ingeminat voces auditaque verba reportat.
Ergo ubi Narcissum per devia rura vagantem
vidit et incaluit, sequitur vestigia furtim,
quoque magis sequitur, flamma propiore calescit,
non aliter quam cum summis circumlita taedis
admotas rapiunt vivacia sulphura flammas.
O quotiens voluit blandis accedere dictis

◆ **360 garrulus** geschwätzig (hier Subst.) ◆ **361 reddere** hier: wiederholen | **dē multīs** ⟨*verbis*⟩ | **novissimus** der letzte ◆ **362 ff.** ordne *quia illa* (= Echo), *cum* ⟨*Iuno*⟩ *nymphās sub Iove suō iacentīs* (!) *dēpre⟨he⟩ndere posset, deam tenēbat* ◆ **363 nympha** →V ◆ **364 prūdēns** absichtlich | **tenēre** hier: aufhalten ◆ **366 dēlūdere, -lūdō, -lūsī, -lūsum** täuschen, zum besten halten ◆ **368 rēs** hier: Umsetzung, Erfüllung | **minae, -ārum** Drohungen | **in fine loquendī** am Ende einer Rede ◆ **369 ingemināre** verdoppeln, wiederholen | **-que** und nur | **reportāre** < *re + portare* ◆ **370 dēvius** abseits des Weges, entlegen | **rūs** hier: Gelände, Feld | **vagārī** wandern, schweifen ◆ **371 incalēscere, -calēscō, -caluī** (in Liebe) entbrennen | **fūrtim** heimlich, verstohlen ◆ **372 f.** ordne *et quō magis sequitur,* ⟨*eo*⟩ *propiōre flammā* ⟨*amoris*⟩ *calēscit* | **propior** hier: intensiver | **calēscere** erglühen, entflammen ◆ **373 quam** hier: als (Vergleich!) | **summa taeda** oberes Ende einer (Hochzeits-)Fackel | **circumlinere, -linō, –, -litus** bestreichen, überziehen (Bez. auf *sulphura*) ◆ **374 admovēre** nahe heranbringen | **flammās rapere** Feuer fangen | **vīvāx, -ācis** lebhaft lodernd, leicht entzündlich | **sulp(h)ur, -uris** (n.) Schwefel ◆ **375 blandus** zärtlich, süß

et mollis adhibere preces! Natura repugnat
nec sinit, incipiat; sed, quod sinit, illa parata est
exspectare sonos, ad quos sua verba remittat.
Forte puer comitum seductus ab agmine fido
dixerat: »Ecquis adest?« et »Adest« responderat Echo.
Hic stupet, utque aciem partes dimittit in omnis,
voce »Veni!« magna clamat: vocat illa vocantem.
Respicit et rursus nullo veniente »Quid« inquit
»me fugis?« et totidem, quot dixit, verba recepit.
Perstat et alternae deceptus imagine vocis
»Huc coeamus« ait, nullique libentius umquam
responsura sono »Coeamus« rettulit Echo
et verbis favet ipsa suis egressaque silva
ibat, ut iniceret sperato bracchia collo;
ille fugit fugiensque »Manus complexibus aufer!
Ante« ait »emoriar, quam sit tibi copia nostri«.
Rettulit illa nihil nisi »Sit tibi copia nostri!«
Spreta latet silvis pudibundaque frondibus ora
protegit et solis ex illo vivit in antris;

◆ **376 mollis** hier: sanft, schmeichelnd (*mollīs*!) ◆ **377 repūgnāre** sich widersetzen ◆ **378 nec sinit,** ⟨*ut sermonem*⟩ **incipiat | sua verba remittere** antworten ◆ **379 sēductus** getrennt | **agmen** hier: Schar, Gruppe ◆ **380 ecquis** etwa jemand? ◆ **381 stupēre** →V | **aciem dīmittere** umherblicken | **omnīs**! ◆ **384 totidem** →V | **recipere** →V ◆ **385 perstāre** stehen bleiben | **alternus** hier: widerhallend, entgegnend ◆ **386 coīre** →V ◆ **386 f.** ordne *et Ēcho nūllī sonō umquam libentius respōnsūra rettulit* ◆ **387 referre** hier: wiederholen, erwidern ◆ **388 favēre** + Dat.: begeistert sein von ◆ **389 bracchia inicere, -iciō** + Dat.: die Arme werfen um | **collum** →V ◆ **390 complexus, -ūs** (m.) Umarmung ◆ **391 f.** ordne *ēmoriar, antequam tibī sit cōpia nostrī* (Umgang, Liebesverhältnis mit mir) | **ēmorī** ~ *mori* | **nostrī** poet. Pl. ◆ **393 spernere** →V | **pudibundus** verschämt | **frōns** →V ◆ **394 prōtegere** ~ *tegere* | **sōlus** hier: einsam | **ex illō** ⟨*tempore*⟩ | **antrum** Höhle

sed tamen haeret amor crescitque dolore repulsae;
extenuant vigiles corpus miserabile curae
adducitque cutem macies et in aëra sucus
corporis omnis abit; vox tantum atque ossa supersunt:
vox manet, ossa ferunt lapidis traxisse figuram.
Inde latet silvis nulloque in monte videtur,
omnibus auditur: sonus est, qui vivit in illa.
Sic hanc, sic alias undis aut montibus ortas
luserat hic nymphas, sic coetus ante viriles;
inde manus aliquis despectus ad aethera tollens
»Sic amet ipse licet, sic non potiatur amato!«
dixerat: assensit precibus Rhamnusia iustis.
Fons erat illimis, nitidis argenteus undis,
quem neque pastores neque pastae monte capellae
contigerant aliudve pecus, quem nulla volucris
nec fera turbarat nec lapsus ab arbore ramus;
gramen erat circa, quod proximus umor alebat,
silvaque sole locum passura tepescere nullo.

◆ **395 repulsa** Zurückweisung ◆ **396 extenuāre** schwächen, auszehren | **vigil, -is** stets wach | **miserābilis** bedauernswert ◆ **397 maciēs cutem addūcit** Abmagerung zieht die Haut zusammen | **sūcus** Kraft, Lebenssaft ◆ **399 ferunt** man sagt | **figūram trahere** + Gen.: Gestalt annehmen von ◆ **400 inde** hier: seitdem ◆ **401** ⟨*ab*⟩ **omnibus**

◆ **402 f.** ordne *sīc hic* (= Narcissus) *hanc* (= Echo), *sīc aliās nymphās undīs aut montibus ortās lūserat* ◆ **403 lūdere** ~ *illudere* verspotten, sein Spiel treiben mit | **coetus, -ūs** (m.) Treffen, Gesellschaft | **virīlēs** ~ *virorum* ◆ **404 aliquis dēspectus** verschmähter Liebhaber | **aethēr** →V ◆ **405 licet** + Konj.: mag auch ◆ **406 assentīre** ~ *assentiri* ◆ **407 illīmis** ohne Schlamm, rein | **nitidus** glänzend, schimmernd | **argenteus, -a, -um** < *argentum* ◆ **408 pāstor** →V | **pāscī** →V ◆ **409 contingere** hier: verschmutzen | **volucris** →V ◆ **410 fera** wildes Tier | **turbārat** ~ *turbaverat* | **rāmus** →V ◆ **411 grāmen, -inis** (n.) Wiese, Gras | **ūmor, -ōris** (m.) Feuchtigkeit ◆ **412** ordne *silva passūra* ⟨*erat*⟩ *locum nūllō sōle tepēscere* | **tepēscere, tepēscō** (zu) warm werden

Hic puer et studio venandi lassus et aestu
procubuit faciemque loci fontemque secutus, 414
dumque sitim sedare cupit, sitis altera crevit,
dumque bibit, visae correptus imagine formae
spem sine corpore amat, corpus putat esse, quod
umbra est. 417
Astupet ipse sibi vultuque immotus eodem
haeret, ut e Pario formatum marmore signum;
spectat humi positus geminum, sua lumina, sidus 420
et dignos Baccho, dignos et Apolline crines
impubesque genas et eburnea colla decusque
oris et in niveo mixtum candore ruborem, 423
cunctaque miratur, quibus est mirabilis ipse:
se cupit imprudens et, qui probat, ipse probatur,
dumque petit, petitur, pariterque accendit et ardet. 426
Irrita fallaci quotiens dedit oscula fonti,
in mediis quotiens visum captantia collum
bracchia mersit aquis nec se deprendit in illis! 429
Quid videat, nescit; sed quod videt, uritur illo,

◆ **413 lassus** müde, erschöpft | **aestus, -ūs** (m.) Hitze ◆ **414 prōcumbere, -cumbō, -cubuī** sich niederwerfen, hinlegen | **sequī** hier: anziehen, sich leiten lassen ◆ **415 sitim sedāre** den Durst stillen ◆ **416 corripere** ergreifen, bezaubern ◆ **417** ordne *putat ⟨id⟩ corpus esse, quod umbra est* | **umbra** hier: Trugbild ◆ **418 astupēre sibī** sich selbst bestaunen ◆ **419 marmor Parium** Marmor aus Paros ◆ **420 humī** auf dem Boden | **geminum sīdus, -eris** (n.) Doppelgestirn ◆ **421 crīnis** →V ◆ **422 genae impūbēs** bartlose Wangen | **eburneus** weiß wie Elfenbein | **collum** →V | **decus, -oris** (n.) hier: Schönheit ◆ **423 niveus** →V | **candor, -ōris** (m.) weißer Glanz, Schimmer | **rubor** →V ◆ **425 im-prūdēns** ↔ *prudens* ◆ **427 irritus** vergeblich | **fallāx, -ācis** betrügerisch, hinterhältig | **ōsculum** →V ◆ **428 captāre** greifen, haschen nach | **collum** →V ◆ **428 f.** ordne *quotiēns bracchia vīsum collum captantia mediīs ⟨in⟩ aquīs mersit* ◆ **429 bracchium** →V | **mergere, mergō, mersī** versenken, eintauchen ◆ **430 ūrī** sich verzehren nach

atque oculos idem, qui decipit, incitat error.
Credule, quid frustra simulacra fugacia captas?
quod petis, est nusquam; quod amas, avertere, perdes!
Ista repercussae, quam cernis, imaginis umbra est:
nil habet ista sui; tecum venitque manetque;
tecum discedet, si tu discedere possis!
Non illum Cereris, non illum cura quietis
abstrahere inde potest, sed opaca fusus in herba
spectat inexpleto mendacem lumine formam
perque oculos perit ipse suos; paulumque levatus
ad circumstantes tendens sua bracchia silvas
»Ecquis, io silvae, crudelius« inquit »amavit?
Scitis enim et multis latebra opportuna fuistis.
Ecquem, cum vestrae tot agantur saecula vitae,
qui sic tabuerit, longo meministis in aevo?
Et placet et video; sed quod videoque placetque,
non tamen invenio«, – tantus tenet error amantem –
»quoque magis doleam, nec nos mare separat ingens
nec via nec montes nec clausis moenia portis;
exigua prohibemur aqua! Cupit ipse teneri:

◆ **431 f.** ordne *īdem error, quī ⟨oculos⟩ dēcipit, oculōs incitat* | **incitāre** hier: reizen, anziehen ◆ **432 crēdulus** leichtgläubig (hier Subst.) | **fugāx, -ācis** flüchtig ◆ **433 nusquam** nirgendwo | **āvertere** wende dich nur ab! (Einschub) ◆ **434 imāgō repercussa** Spiegelbild | **umbra** hier: Trugbild ◆ **435 nīl suī** kein eigenes Wesen | **ista** ⟨*umbra*⟩

◆ **437 Cerēs, -eris** hier: Brot, Nahrung ◆ **438 opācus** schattig | **fūsus** lang hingestreckt ◆ **439 inexplētus** unersättlich | **mendāx, -ācis** trügerisch | **lūmen** →V ◆ **440 levāre** →V ◆ **441 bracchium** →V ◆ **442 ecquis** etwa jemand? | **iō** ach! ◆ **443 latebra** Zuflucht, Versteck ◆ **444 agī** hier: vorübergehen ◆ **445 tābēscere, tābēscō, tābuī** sich grämen | **meminisse** hier + Akk. | **aevum** →V ◆ **448 quō** hier: wodurch, worüber | **sēparāre** trennen (Präd. zu *mare, via, montēs, moenia*)

nam quotiens liquidis porreximus oscula lymphis,
hic totiens ad me resupino nititur ore.
Posse putes tangi: minimum est, quod amantibus obstat.
Quisquis es, huc exi! Quid me, puer unice, fallis
quove petitus abis? Certe nec forma nec aetas
est mea, quam fugias, et amarunt me quoque nymphae!
Spem mihi nescio quam vultu promittis amico,
cumque ego porrexi tibi bracchia, porrigis ultro,
cum risi, arrides; lacrimas quoque saepe notavi
me lacrimante tuas; nutu quoque signa remittis
et, quantum motu formosi suspicor oris,
verba refers aures non pervenientia nostras!
Iste ego sum: sensi, nec me mea fallit imago;
uror amore mei: flammas moveoque feroque.
Quid faciam? Roger anne rogem? Quid deinde rogabo?
Quod cupio, mecum est: inopem me copia fecit.
O utinam a nostro secedere corpore possem!
Votum in amante novum: vellem, quod amamus, abesset.
Iamque dolor vires adimit, nec tempora vitae
longa meae superant, primoque exstinguor in aevo.

◆ **451 liquidus** → V | **ōscula porrigere, -rigō, -rēxī** Küsse geben | **lympha** klares Quellwasser ◆ **452 resupīnō ōre** mit zurückgebeugtem Kopf | **nītī** hier: sich (entgegen)strecken ◆ **453 putēs** ⟨*eum a me*⟩ **tangī posse** ◆ **454 quid** hier: was? warum? | **ūnicus** einzigartig, einzig geliebt ◆ **456 amārunt** ~ *amaverunt* ◆ **457 nesciō quam spem** eine gewisse Hoffnung ◆ **458 porrigere, -rigō, -rēxī** entgegenstrecken | **bracchium** → V | **ultrō** freiwillig, ebenfalls ◆ **459 arrīdēre** anlächeln | **notāre** hier: wahrnehmen, bemerken ◆ **460 lacrimāre** < *lacrima* | **nūtus, -ūs** (m.) Nicken ◆ **461 quantum** hier: soweit, soviel | **fōrmōsus** → V ◆ **462 verba referre** Antwort geben | **pervenīre** ⟨*ad*⟩ ◆ **464 ūrere** → V | **movēre** hier: verursachen, anschüren | **flammās** ⟨*amoris*⟩ | **ferre** ~ *perferre* ◆ **466 inops, -opis** arm; machtlos ◆ **467 sēcēdere** sich trennen von ◆ **468 vellem,** ⟨*ut id,*⟩ **quod amāmus, abesset** ◆ **470 superāre** ~ *superesse* | **aevum** → V

Nec mihi mors gravis est posituro morte dolores,
hic, qui diligitur, vellem diuturnior esset;
nunc duo concordes anima moriemur in una.«
Dixit et ad faciem rediit male sanus eandem
et lacrimis turbavit aquas, obscuraque moto
reddita forma lacu est; quam cum vidisset abire,
»Quo refugis? Remane nec me, crudelis, amantem
desere!« clamavit; »Liceat, quod tangere non est,
aspicere et misero praebere alimenta furori!«
Dumque dolet, summa vestem deduxit ab ora
nudaque marmoreis percussit pectora palmis.
Pectora traxerunt roseum percussa ruborem,
non aliter quam poma solent, quae candida parte,
parte rubent, aut ut variis solet uva racemis
ducere purpureum nondum matura colorem.
Quae simul aspexit liquefacta rursus in unda,
non tulit ulterius, sed ut intabescere flavae

◆ **471 pōnere** ~ *deponere* ◆ **472 diūturnus** (langlebig) **esse** ~ *diu vivere* ◆ **473 concors, -cordis** einträchtig | **ūnus** ein und derselbe

◆ **474 male sānus** kaum noch bei Sinnen ◆ **475 turbāre** hier: trüben | **obscūrus** hier: verschwommen ◆ **477 refugere** zurückweichen, fliehen ◆ **478** ⟨*id*⟩, **quod** ⟨*mihi*⟩ **tangere** (~ *tangendum*) **nōn est** ◆ **479 alimentum** Nahrung | **furor** hier: Liebesleidenschaft ◆ **480 dēdūcere** hier: herab-, zerreißen | **ōra** hier: Rand, Saum ◆ **481 marmoreus** weiß wie Marmor | **pectora percutere** sich die Brust schlagen (ein Zeichen der Trauer) | **palma** →V ◆ **482 trahere** hier: annehmen | **roseus** rosig, rosenfarbig | **rubor** →V ◆ **483 quam** hier: als (Vergleich!) | **pōmum** →V | **quae candida** ⟨*sunt*⟩ (*candidus* →V) | **parte** teils ◆ **484 rubēre** rot glänzen | **varius** hier: verschiedenfarbig | **racēmus** Weinbeere ◆ **484 f. ūva** (Traube) … **nōndum mātūra** ◆ **485 colōrem dūcere** sich verfärben | **purpureus** purpurn, rot ◆ **486 liquefacere** glätten ◆ **487 ferre** ~ *perferre* | **ulterius** hier: länger | **intābēscere, -tābēscō** langsam schmelzen | **flāvus** →V

igne levi cerae matutinaeque pruinae
sole tepente solent, sic attenuatus amore
liquitur et tecto paulatim carpitur igni;
et neque iam color est mixto candore rubori,
nec vigor et vires et quae modo visa placebant,
nec corpus remanet, quondam quod amaverat Echo.
Quae tamen ut vidit, quamvis irata memorque,
indoluit, quotiensque puer miserabilis »Eheu«
dixerat, haec resonis iterabat vocibus »Eheu«;
cumque suos manibus percusserat ille lacertos,
haec quoque reddebat sonitum plangoris eundem.
Ultima vox solitam fuit haec spectantis in undam:
»Heu frustra dilecte puer!« totidemque remisit
verba locus, dictoque vale »Vale« inquit et Echo.
Ille caput viridi fessum submisit in herba,
lumina mors clausit domini mirantia formam:
tum quoque se, postquam est inferna sede receptus,

◆ **488 levis** hier: schwach | **cēra** →V | **pruīna mātūtīna** Morgentau ◆ **489 tepēre** (lau)warm sein | **attenuārī** abmagern, schwach werden ◆ **490 līquī** vergehen, hinschwinden | **tēctus** hier: verborgen | **paulātim** nach und nach, allmählich | **carpere** hier: verzehren ◆ **491 candor, -ōris** (m.) weißer Glanz, Schimmer | **rubor** →V ◆ **492 vigor, ōris** (m.) Lebenskraft, Energie | ordne *nec vigor ⟨ei est⟩ et vīrēs et ⟨ea,⟩ quae vīsa placēbant* ◆ **493 quondam** →V ◆ **494 quae**: Echo | **quamvīs** →V | **īrāta memorque** ⟨*erat*⟩ (*memor* gemeint ist: an die Zurückweisung) ◆ **495 indolēscere, -dolēscō, -doluī** sich betrüben | **miserābilis** beklagenswert, elend | **ēheu** ach! o weh! ◆ **496 resonus** nachhallend | **iterāre** wiederholen ◆ **497 percutere** ~ *pectora percutere* sich die Brust schlagen (ein Zeichen von Trauer) | **lacertus** →V ◆ **498 sonitum reddere** den Klang nachahmen | **plangor, -ōris** (m.) lautes Klatschen, Schlagen ◆ **499 solitus** hier: vertraut ◆ **500 heu** ~ *eheu* ach! o weh! | **totidem** →V ◆ **501 et** ~ *etiam* ◆ **502 viridis** grün | **fessus** müde, matt | **submittere** senken, sinken lassen ◆ **503 lūmen** →V ◆ **504 īnferna sēdēs** Unterwelt

in Stygia spectabat aqua. Planxere sorores
naïdes et sectos fratri posuere capillos,
planxerunt dryades; plangentibus adsonat Echo.
Iamque rogum quassasque faces feretrumque parabant:
nusquam corpus erat; croceum pro corpore florem
inveniunt foliis medium cingentibus albis.

7. Pyramus und Thisbe (4,55–166)

Verbotene Liebe.

Pyramus et Thisbe, iuvenum pulcherrimus alter,
altera, quas Oriens habuit, praelata puellis,
contiguas tenuere domos, ubi dicitur altam
coctilibus muris cinxisse Semiramis urbem.
Notitiam primosque gradus vicinia fecit,
tempore crevit amor; taedae quoque iure coissent,
sed vetuere patres: quod non potuere vetare,

◆ **505 Stygius** →V | **planxēre** ~ *planxerunt* (*plangere, plango, planxi* laut trauern, wehklagen) ◆ **505 f. sorōrēs … naïdēs** seine Schwestern, die Najaden ◆ **506 posuēre** ~ *posuerunt* | **capillōs secāre (secō, secuī, sectum)** die Haare abschneiden (als Zeichen der Trauer) ◆ **507 dryas, -adis** (f.) Baumnymphe | **assonāre** mit einstimmen ◆ **508 rogus** Scheiterhaufen | **facēs quassae** Stücke von Kienholz | **feretrum** Totenbahre ◆ **509 nūsquam** nirgendwo | **croceus** safrangelb | **folium** Blütenblatt | **albus** weiß

◆ **56 f.** ordne *altera praelāta puellīs, quās* ◆ **57 contiguus** angrenzend, benachbart | **tenuēre** ~ *tenuērunt* | **tenēre** ~ *habitare* ◆ **58 mūrus coctilis** Backsteinmauer ◆ **59 nōtitia** Bekanntschaft | **prīmōs gradūs** ⟨*amōris*⟩ | **vīcīnia** Nachbarschaft ◆ **60 taeda** Hochzeitsfackel (Fackeln waren Teil antiker Hochzeitszeremonien) | **iūre coīre** rechtmäßig heiraten ◆ **61 vetuēre** ~ *vetuerunt* | **potuēre** ~ *potuerunt*

ex aequo captis ardebant mentibus ambo.
Conscius omnis abest; nutu signisque loquuntur,
quoque magis tegitur, tectus magis aestuat ignis.
Fissus erat tenui rima, quam duxerat olim,
cum fieret, paries domui communis utrique.
Id vitium nulli per saecula longa notatum –
quid non sentit amor? – primi vidistis amantes
et vocis fecistis iter, tutaeque per illud
murmure blanditiae minimo transire solebant.
Saepe, ubi constiterant hinc Thisbe, Pyramus illinc,
inque vices fuerat captatus anhelitus oris,
»Invide« dicebant »paries, quid amantibus obstas?
Quantum erat, ut sineres toto nos corpore iungi
aut, hoc si nimium est, vel ad oscula danda pateres?
Nec sumus ingrati: tibi nos debere fatemur,
quod datus est verbis ad amicos transitus aures.«
Talia diversa nequiquam sede locuti
sub noctem dixere »Vale« partique dedere
oscula quisque suae non pervenientia contra.

◆ **62 ex aequō** ~ *aequo modo* | **captīs** ⟨*amore*⟩ **mentibus** | **ārdēre** in Liebe entbrennen, heiß verliebt sein ◆ **63 nūtus, -ūs** (m.) (Kopf-)Nicken, Winken ◆ **64 aestuāre** auflodern, glühen | **īgnis** ⟨*amoris*⟩ | ordne *quō magis* ⟨*ignis*⟩ *tegitur,* ⟨*eo*⟩ *magis aestuat* ◆ **65 findere, findō, fidī, fissum** spalten | **rīmam dūcere** einen Riss bekommen ◆ **65 f.** ordne *pariēs fissus erat* ◆ **66 fieret** ~ *exstrueret* | **pariēs, -etis** (m.) Wand ◆ **67 nūllī** ~ *a nullo* | **notāre** wahrnehmen, bemerken | **67 ff.** *id vitium … vīdistis … et iter vōcis fēcistis* ◆ **69 per illud** ⟨*iter*⟩ ◆ **70 murmur** →V | **blanditiae, -ārum** (f.) Liebesgeflüster, Schmeichelworte ◆ **71 cōnstāre, -stō, -stitī** ~ *stare* | **ubī** jedesmal, wenn | **hinc … illinc** auf dieser/jener Seite ◆ **72 in vicēs** gegenseitig | **fuerat** ~ *erat* | **anhēlitus, -ūs** (m.) Atem, Hauch ◆ **73 invidus, -a, -um** < *invidere* ◆ **74 quantum erat?** Was hätte es dir ausgemacht? (Realis der Vgh.) ◆ **75 vel** doch wenigstens ◆ **77 trānsitus, -ūs** (m.) Durchgang, Weg ◆ **78 nēquīquam** ~ *frustra* ◆ **79 sub noctem** gegen Abend | **dixēre** ~ *dixerunt* | **partī** ⟨*parietis*⟩ **suae** ◆ **80 contrā** hier: nach drüben

Postera nocturnos Aurora removerat ignes,
solque pruinosas radiis siccaverat herbas:
ad solitum coiere locum. Tum murmure parvo
multa prius questi statuunt, ut nocte silenti
fallere custodes foribusque excedere temptent,
cumque domo exierint, urbis quoque tecta relinquant,
neve sit errandum lato spatiantibus arvo,
conveniant ad busta Nini lateantque sub umbra
arboris: arbor ibi niveis uberrima pomis,
ardua morus, erat, gelido contermina fonti.
Pacta placent; et lux, tarde discedere visa,
praecipitatur aquis, et aquis nox exit ab isdem.
Callida per tenebras versato cardine Thisbe
egreditur fallitque suos adopertaque vultum
pervenit ad tumulum dictaque sub arbore sedit.
Audacem faciebat amor. Venit ecce recenti
caede leaena boum spumantis oblita rictus
depositura sitim vicini fontis in unda;
quam procul ad lunae radios Babylonia Thisbe

◆ **81 nocturnī ignēs** Sterne ◆ **82 pruīnōsus** bereift | **radius** Strahl | **siccāre** trocknen ◆ **83 coīre** ~ *coierunt* | **murmur** →V ◆ **84 silēre** →V ◆ **85 foris, -is** (f.) Türflügel, Pl.: Tür ◆ **87 spatiārī** umher-, spazieren gehen | **lātō** ⟨*in*⟩ **arvō, arvum** →V ◆ **88 conveniant, lateant** Konj. wg. Abhängigkeit von *statuunt, ut* | **bustum** Grabmal ◆ **89 niveus** →V | **ūber, -eris** ergiebig, reich | **pōmum** →V ◆ **90 arduus** hochragend, -gewachsen | **mōrus, -ī** (f.) Maulbeerbaum | **gelidus** →V | **conterminus** + Dat.: nahe bei ◆ **91 lūx** ~ *sol* | **vīsa** ⟨*est*⟩ ◆ **92 aquīs** (Dat.) ~ *in aquas* ⟨*maris*⟩

◆ **93 tenebrae, -ārum** (f.) Dunkelheit, Dunkel | **cardinem versāre** »die Türangel drehen«: die Tür öffnen ◆ **94 adopertus** + Akk. (Akk. Graecus): verhüllt in Bezug auf … ◆ **95 tumulus** Grabhügel, Grab ◆ **97 leaena** Löwin | **boum** Gen. Pl. zu *bōs* | **spūmāre** schäumen, mit Schaum bedecken, *spumantīs*! | **rictus, -ūs** (m.) geöffnetes Maul, Rachen (Akk. Graecus) | **oblitus** besudelt, beschmiert ◆ **99 radius** Strahl | **Babylōnius** aus Babylon

vidit et obscurum timido pede fugit in antrum,
dumque fugit, tergo velamina lapsa reliquit.
Ut lea saeva sitim multa compescuit unda,
dum redit in silvas, inventos forte sine ipsa
ore cruentato tenues laniavit amictus.
Serius egressus vestigia vidit in alto
pulvere certa ferae totoque expalluit ore
Pyramus; ut vero vestem quoque sanguine tinctam
repperit, »Una duos« inquit »nox perdet amantes,
e quibus illa fuit longa dignissima vita;
nostra nocens anima est. Ego te, miseranda, peremi,
in loca plena metus qui iussi nocte venires
nec prior huc veni. Nostrum divellite corpus
et scelerata fero consumite viscera morsu,
o quicumque sub hac habitatis rupe leones!
Sed timidi est optare necem.« Velamina Thisbes
tollit et ad pactae secum fert arboris umbram,
utque dedit notae lacrimas, dedit oscula vesti,
»Accipe nunc« inquit »nostri quoque sanguinis haustus!«
Quoque erat accinctus, demisit in ilia ferrum,

◆ **100 antrum** Höhle ◆ **101 vēlāmen, -inis** (n.) Schleier ◆ **102 lea** Löwin | **compescere** ~ *deponere* ◆ **103 inventōs** Bez. auf *amictūs* | **ipsā** (gemeint ist Thisbe) ◆ **104 cruentāre** mit Blut besudeln | **laniāre** → V | **tenuis** → V | **amictus, -ūs** (m.) Umhang, Gewand ◆ **106 pulvis, -eris** (m.) Staub, Sand | **expallēscere, -pallēscō, -palluī** erblassen ◆ **107 tingere** → V ◆ **110 nostra anima** (gemeint ist Pyramus) | **nocēns** hier: schuldig | **miserārī** → V | **perimere** töten, vernichten ◆ **110 f.** ordne *ego, quī iussī, ⟨ut⟩ venīrēs* ◆ **111 metus, -ūs** (m.) ~ *periculum* ◆ **112 dīvellere** zerreißen ◆ **113 vīscera, -um** (Neutr. Pl.) Fleisch, Eingeweide | **morsus, -ūs** (m.) Biss ◆ **114 rūpēs, -is** (f.) Fels ◆ **115 vēlāmen, -inis** (n.) Schleier ◆ **116 pactus** verabredet ◆ **117 ōsculum** → V | **nōtae** Bez. auf *vestī* ◆ **118 haustus, -ūs** (m.) Trunk, Schluck ◆ **119** ordne *-que ferrum, quō accīnctus erat, dēmīsit* | **accingere** (um-)gürten | **īlia, -um** (n.) Weichen, Eingeweide

nec mora, ferventi moriens e vulnere traxit
et iacuit resupinus humo, cruor emicat alte,
non aliter quam cum vitiato fistula plumbo
scinditur et tenui stridente foramine longas
eiaculatur aquas atque ictibus aëra rumpit.
Arborei fetus aspergine caedis in atram
vertuntur faciem, madefactaque sanguine radix
purpureo tingit pendentia mora colore.
Ecce metu nondum posito, ne fallat amantem,
illa redit iuvenemque oculis animoque requirit,
quantaque vitarit narrare pericula gestit;
utque locum et visa cognoscit in arbore formam,
sic facit incertam pomi color: haeret, an haec sit.
Dum dubitat, tremebunda videt pulsare cruentum
membra solum, retroque pedem tulit, oraque buxo

◆ **120 nec mora** ⟨*fuit*⟩ | **fervēre** dampfen, brennen ◆ **121 resupīnus** auf dem Rücken (liegend) | **ēmicāre** hervorspritzen, -schießen ◆ **122 quam** als (Vergleich) | **vitiāre** beschädigen | **fistula** Rohr | **plumbum** Blei ◆ **123 scindere** bersten, aufreißen | **tenuis** →V | **strīdēre** zischen, pfeifen | **forāmen, -inis** (n.) Loch, Öffnung ◆ **124 ēiaculārī** emporschießen | **ictus, -ūs** (m.) Schlag, Stoß | **rumpere** hier: hervorbrechen ◆ **125 arboreus, -a, -um** < *arbor* | **fētus** →V | **aspergō, -inis** (f.) Spritzer, Tropfen ◆ **126 madefacere** nass machen, befeuchten | **rādīx, -īcis** (f.) Wurzel ◆ **127 tingere** →V | **pendēre** →V | **mōrum** Maulbeere ◆ **128 fallere** hier: enttäuschen

◆ **128 f.** ordne *illa* (= Thisbe) *redit, nē fallat amantem* ◆ **129 requīrere** ~ *quaerere* ◆ **130** ⟨*illa*⟩ **nārrāre gestit** (~ *cupit*), **quanta perīcula vītā⟨*ve*⟩rit** ◆ **131 vīsā** Bez. auf *arbore* ◆ **131 f. ut … sīc** zwar … aber ◆ **132 pōmum** →V | **haerēre** hier: unschlüssig sein ◆ **133 tremebundus** zitternd, zuckend | **pulsāre** ~ *pellere* | **cruentus** mit Blut getränkt, blutrot ◆ **134 pedem retrō ferre** den Schritt zurücklenken, zurückweichen | **buxum** Buchsbaum (das Holz hat grüngelbliche Färbung) ◆ **134 f.** ordne *gerēns* (hier: mit) *ōra pallidiōra buxō*

pallidiora gerens exhorruit aequoris instar,
quod tremit, exigua cum summum stringitur aura.
Sed postquam remorata suos cognovit amores,
percutit indignos claro plangore lacertos
et laniata comas amplexaque corpus amatum
vulnera supplevit lacrimis fletumque cruori
miscuit et gelidis in vultibus oscula figens
»Pyrame«, clamavit, »quis te mihi casus ademit?
Pyrame, responde! Tua te carissima Thisbe
nominat; exaudi vultusque attolle iacentes!«
Ad nomen Thisbes oculos a morte gravatos
Pyramus erexit visaque recondidit illa.
    Quae postquam vestemque suam cognovit et ense
vidit ebur vacuum, »Tua te manus« inquit »amorque
perdidit, infelix! Est et mihi fortis in unum
hoc manus, est et amor: dabit hic in vulnera vires.
Persequar extinctum letique miserrima dicar
causa comesque tui: quique a me morte revelli

◆ **135 pallidus** bleich | **exhorrēscere** erschauern | **aequor** → V | **īnstar** + Gen.: gerade wie ◆ **136 tremere, tremō, tremuī** zittern | **exiguus** schwach, flüchtig | **summum** ⟨*aequor*⟩ Meeresoberfläche | **stringere, stringō** streifen, leicht berühren ◆ **137 remorārī, -moror, -morātus sum** zögern, verweilen | **amōrēs** (gemeint ist Pyramus) ◆ **138 percutere** → V | **indīgnus** ~ *innocens* | **plangor, -ōris** (m.) Wehklagen | **lacertus** → V ◆ **139 laniāre** → V | **coma** → V | **amplectī, -plector, -plexus sum** umfassen, umarmen ◆ **140 supplēre** ~ *complere* | **flētus, -ūs** (m.) Weinen; Tränen ◆ **141 gelidus** → V | **ōsculum** → V ◆ **142 quis** ~ *qui* ◆ **144 exaudīre** erhören, erg. *me* | **attollere** ~ *tollere* ◆ **145 gravāre** beschweren, schwer machen ◆ **146 recondere, -condō, -condidī** hier: wieder schließen

◆ **147 ēnsis** → V ◆ **148 ebur** hier: die elfenbeinerne Schwertscheide ◆ **149 f. in ūnum … hoc** für dieses eine Vorhaben (= den Selbstmord) ◆ **150 et** ~ *etiam* | **hīc**! | **in vulnera** für die Wunden ◆ **151 extīnctum** ⟨*te*⟩ | **lētum** → V ◆ **151 f. lētī … tuī** ◆ **152 revellere, -vellō, -vellī** losreißen

heu sola poteras, poteris nec morte revelli.
Hoc tamen amborum verbis estote rogati,
o multum miseri meus illiusque parentes,
ut, quos certus amor, quos hora novissima iunxit,
componi tumulo non invideatis eodem;
at tu quae ramis arbor miserabile corpus
nunc tegis unius, mox es tectura duorum,
signa tene caedis pullosque et luctibus aptos
semper habe fetus, gemini monimenta cruoris.«
Dixit et aptato pectus mucrone sub imum
incubuit ferro, quod adhuc a caede tepebat.
Vota tamen tetigere deos, tetigere parentes;
nam color in pomo est, ubi permaturuit, ater,
quodque rogis superest, una requiescit in urna.

8. Der Raub der Proserpina (5,359–424)

Die Muse Calliope erzählt von der Göttin Ceres und wie sie ihre Tochter Proserpina fast für immer verlor. Denn Pluto, der König der Unterwelt, hatte sich zur Oberwelt aufge-

◆ **153 heu** ach! wehe! | **nec** hier: nicht einmal ◆ **154 hoc estōte rogātī** (feierlich) darum lasst euch bitten ◆ **155 multum miserī** ~ *miserrimi* (Bez. auf *parentēs* [~ *patres*]) ◆ **156 ut** ⟨*nos*⟩, **quōs** | **hōra novissima** die letzte Stunde, Todesstunde ◆ **157 compōnere** hier: beisetzen | **tumulus** Grabhügel, Grab | **invidēre** + Inf. hier: missgönnen, verweigern ◆ **158 rāmus** →V ◆ **158 f.** ordne *at tū arbor, quae … tegis* ◆ **160 pullus** dunkel, schwärzlich | **lūctus, -ūs** (m.) Trauer ◆ **161 fētus** →V | **geminus** →V | **monimenta** ~ *monumenta* ◆ **162 aptāre** hier: ansetzen | **mucrō, -ōnis** (m.) Schwertspitze | **pectus sub īmum** direkt unter der Brust ◆ **163 ferrō incumbere (-cumbō, -cubuī)** sich ins Schwert stürzen | **tepēre** lauwarm sein ◆ **164 tetigēre** ~ *tetigerunt* ◆ **165 pōmum** →V | **permātūrēscere, -mātūrēscō, -mātūruī** reifen | **āter** schwarz ◆ **166 rogus** Scheiterhaufen | **urna** Urne

macht. Ihn trieb die Furcht, der unter der Insel Sizilien gefangene Gigant Typhoeus könnte durch die Erdbeben, die er in seiner Wut auslöste, den Erdboden spalten und Licht in die Unterwelt bringen.

Hanc metuens cladem tenebrosa sede tyrannus
exierat curruque atrorum vectus equorum
ambibat Siculae cautus fundamina terrae.
Postquam exploratum satis est loca nulla labare
depositoque metu, videt hunc Erycina vagantem
monte suo residens natumque amplexa volucrem
»Arma manusque meae, mea, nate, potentia« dixit,
»illa, quibus superas omnes, cape tela, Cupido,
inque dei pectus celeres molire sagittas,
cui triplicis cessit fortuna novissima regni.
Tu superos ipsumque Iovem, tu numina ponti
victa domas ipsumque, regit qui numina ponti:
Tartara quid cessant? Cur non matrisque tuumque
imperium profers? Agitur pars tertia mundi,

◆ **359 clādēs, -is** (f.) Unglück | **tenebrōsa sēdēs** Unterwelt (*tenebrōsus* finster, dunkel) | **tyrannus** hier: Pluto ◆ **361 ambīre** herumfahren | **fundāmen, -inis** (n.) Grundfeste, Untergrund | **Sicula terra** Sizilien ◆ **362 labāre** wanken, einzustürzen drohen ◆ **363 vagārī** umherschweifen ◆ **364 mōns** (gemeint ist der Eryx) | **residēre** ~ *sedere* | **nātus volucer** (geflügelter Sohn) Amor | **amplectī, -plector, -plexus sum** umarmen ◆ **365 arma, manūs, potentia** Vokativ! | **nātus** → V ◆ **366 f.** ordne *cape illa tēla, quibus …* ◆ **367 mōlīrī** (in Bewegung setzen) schießen | **sagitta** → V ◆ **368 rēgnum triplex, -icis** die Dreiteilung des Reichs (in Erde, Meer, Unterwelt) | **cēdere** hier: zufallen | **fortūna novissima** das letzte Los ◆ **369 superī** → V | **pontus** → V ◆ **370 domāre** bezwingen, bezähmen | ordne *ipsum, quī regit* ◆ **371 quid** hier: warum? | **cessāre** hier: fehlen ◆ **372 agī** hier: sich handeln um, auf dem Spiel stehen | **tertia pars** ein Drittel

et tamen in caelo, quae iam patientia nostra est,
spernimur, ac mecum vires minuuntur Amoris.
Pallada nonne vides iaculatricemque Dianam 375
abscessisse mihi? Cereris quoque filia virgo,
si patiemur, erit; nam spes affectat easdem.
At tu pro socio, si qua est ea gratia, regno 378
iunge deam patruo.« Dixit Venus; ille pharetram
solvit et arbitrio matris de mille sagittis
unam seposuit, sed qua nec acutior ulla 381
nec minus incerta est nec quae magis audiat arcum,
oppositoque genu curvavit flexile cornum
inque cor hamata percussit harundine Ditem. 384
Haud procul Hennaeis lacus est a moenibus altae,
nomine Pergus, aquae: non illo plura Caystros
carmina cycnorum labentibus audit in undis. 387
Silva coronat aquas cingens latus omne suisque

◆ **373 quae iam patientia nostra est** so geduldig sind wir schon geworden ◆ **374 spernere** →V | **mēcum** ~ *cum meis viribus* ◆ **375 iaculātrīx** Schützin ◆ **376 abscēdere, -cēdō, -cessī** sich entziehen, weichen (die Göttinnen blieben unverheiratet) ◆ **377 erit** ~ *manebit* | **spēs affectāre** hier: sich mit dem Gedanken tragen ◆ **378 prō sociō rēgnō** bei unserer gemeinsamen Herrschaft | ordne *sī ea grātia ⟨ali⟩qua ⟨gratia⟩ est* ◆ **379 patruus** Onkel väterlicherseits (der Proserpina: Pluto) | **pharetra** Köcher ◆ **380 arbitrium** Entscheidung, Urteil | **sagitta** →V ◆ **381 sēpōnere** beiseite legen | ordne *sed nec ūlla ⟨sagitta⟩ acūtior ⟨est⟩ quā* | **acūtus** spitz ◆ **382 minus incertus** treffsicherer | **audīre** hier: gehorchen | **arcus** →V ◆ **383 oppōnere** hier: dagegen stemmen (gegen den Bogen) | **genū, -ūs** (n.) Knie | **curvāre** biegen, krümmen | **flexilis** geschmeidig, biegsam | **cornum** ~ *arcus* →V ◆ **384 hāmātus** mit Widerhaken versehen | **percutere** →V | **harundō, -inis** (f.) Pfeil

◆ **385 Hennaeus** Adj. zu *Henna* ◆ **385 f. altae … aquae** ◆ **387 f.** ordne *Caystros nōn plūra carmina cycnōrum* (Schwanengesang) *audit illō ⟨lacu⟩* ◆ **lābēns** sanft dahingleitend ◆ **388 corōnāre** umkränzen, -schließen

frondibus ut velo Phoebeos submovet ictus;
frigora dant rami, Tyrios humus umida flores:
perpetuum ver est. Quo dum Proserpina luco
ludit et aut violas aut candida lilia carpit,
dumque puellari studio calathosque sinumque
implet et aequales certat superare legendo,
paene simul visa est dilectaque raptaque Diti:
usque adeo est properatus amor. Dea territa maesto
et matrem et comites, sed matrem saepius, ore
clamat, et ut summa vestem laniarat ab ora,
collecti flores tunicis cecidere remissis,
tantaque simplicitas puerilibus affuit annis,
haec quoque virgineum movit iactura dolorem.
Raptor agit currus et nomine quemque vocando
exhortatur equos, quorum per colla iubasque
excutit obscura tinctas ferrugine habenas,
perque lacus altos et olentia sulphure fertur

◆ **389 frōns** →V | **vēlum** Sonnensegel | **ictūs Phoebēī** Sonnenstrahlen | **submovēre** fernhalten ◆ **390 rāmus** →V | **Tyrius** purpurrot | **humus** ⟨*dat*⟩ | **ūmidus** feucht ◆ **391 quō** Bez. auf *lūcō, lūcus* heiliger Hain ◆ **392 viola** Veilchen | **candidus** →V | **līlium** Lilie ◆ **393 puellāris** mädchenhaft, kindlich | **calathus** Körbchen | **sinus, -ūs** (m.) Bausch am Gewand ◆ **394 legere** ~ *colligere* ◆ **395 Dītī** ~ *a Dite* ◆ **396 ūsque adeō** so sehr ◆ **397 f. maestō … ōre** (*maestus* traurig) ◆ **398 summa ōra** oberer Saum | **laniārat** ~ *laniaverat* (*laniare* →V) ◆ **399 cecidēre** ~ *ceciderunt* | **remittere** hier: herabsinken ◆ **400 simplicitās** Einfalt | **puerīlis** knabenhaft, kindlich | **affuit annīs** ~ *fuit in annis* ◆ **401 virgineus, -a, -um** < *virgo* | **iactūra** Verlust ◆ **402 raptor, -ōris** (m.) < *rapere* | **agere** hier: antreiben | ⟨*unum*⟩**quemque** ⟨*equorum*⟩ **vocandō** (= *vocans*) **nōmine** (beim Namen) ◆ **403 iuba** Mähne | **collum** →V ◆ **404 excutere, -cutiō** schütteln | **tingere** →V | **ferrūgō, -inis** (f.) dunkelbraune Farbe | **habēna** Zügel ◆ **405 per** hier: vorüber an | **sulphur, -uris** (n.) Schwefel | **fertur** hier: er fährt ◆ **405 f. olentia … stāgna**

stagna Palicorum rupta ferventia terra
et qua Bacchiadae, bimari gens orta Corintho,
inter inaequales posuerunt moenia portus.
  Est medium Cyanes et Pisaeae Arethusae,
quod coit angustis inclusum cornibus aequor:
hic fuit, a cuius stagnum quoque nomine dictum est,
inter Sicelidas Cyane celeberrima nymphas.
Gurgite quae medio summa tenus exstitit alvo
agnovitque deam. »Nec longius ibitis!« inquit;
»Non potes invitae Cereris gener esse: roganda,
non rapienda fuit. Quodsi componere magnis
parva mihi fas est, et me dilexit Anapis;
exorata tamen, nec, ut haec, exterrita nupsi.«
Dixit et in partes diversas bracchia tendens
obstitit. Haud ultra tenuit Saturnius iram
terribilesque hortatus equos in gurgitis ima
contortum valido sceptrum regale lacerto

◆ **406 stāgnum** →V | **fervēre** brodeln | **rupta terra** Erdspalt ◆ **407 bimaris** an zwei Meeren liegend ◆ **408 inaequālēs portī** Häfen von ungleicher Größe (bei Syrakus) | **pōnere** hier ~ *condere* ◆ **409 Pīsaeus** aus Pisa stammend ◆ **409 f.** ordne *est aequor medium* (+ Gen.) *Cyanēs et Pīsaeae Arethūsae, quod coit* ◆ **410 coīre** sich verengen | **cornū** hier: Landspitze ◆ **411 stāgnum** →V | **fuit** ~ *habitat* ◆ **411 f.** ordne *hīc fuit Cyanē celeberrima inter nymphās* (→V) *Sīcelidās, ā cuius nōmine* ... | **Sīcelis, -idis** sizilisch ◆ **413 gurges** →V | **quae** (gemeint ist Cyane) | **summā tenus alvō** mit dem Oberkörper ◆ **414 agnōscere, -nōscō, -nōvī** erkennen | **deam** (gemeint ist Proserpina) | **ībitis** ~ *ite!* ◆ **415 gener** →V ◆ **416 quodsī** sofern ◆ **416 f. compōnere** hier: vergleichen **parva** ⟨*cum*⟩ **magnīs** ◆ **417 et** ~ *etiam* ◆ **418 exōrāre** bitten, anflehen | **exterrēre** heftig erschrecken, einschüchtern ◆ **419 bracchium** →V ◆ **420 ultrā** ~ *diūtius* | **tenēre** hier: zurückhalten, zügeln ◆ **421 hortārī** vorwärts drängen, antreiben | **in īma gurgitis** mitten in die Tiefe ◆ **422 contorquēre, -torqueō, -torsī, -tortum** schwingen | **validus** stark, kräftig | **scēptrum rēgāle** Königsszepter | **lacertus** →V

condidit; icta viam tellus in Tartara fecit 423
et pronos currus medio cratere recepit.

9. Ceres' Suche nach der Tochter (5,438–445.462–538a.564–571)

Die untröstliche Mutter macht sich auf die Suche nach der geraubten Tochter.

Interea pavidae nequiquam filia matri 438
omnibus est terris, omni quaesita profundo.
Illam non udis veniens Aurora capillis
cessantem vidit, non Hesperus; illa duabus 441
flammiferas pinus manibus succendit ab Aetna
perque pruinosas tulit irrequieta tenebras;
rursus ubi alma dies hebetarat sidera, natam 444
solis ab occasu solis quaerebat ad ortus.

Quas dea per terras et quas erraverit undas, 462
dicere longa mora est; quaerenti defuit orbis;

◆ **423 ictus** schwer getroffen | **facere** ~ *patefacere* öffnen, auftun ◆ **424 prōnus** hinabjagend | **crātēr, -ēris** (m.) Schlund, Abgrund

◆ **438 pavidus, -a, -um** < *pavor* | **nēquīquam** ~ *frustra* | **mātrī** ~ *a matre* ◆ **438 f.** ordne *fīlia quaesīta est omnibus ⟨in⟩ terrīs ⟨et⟩ omnī profundō* ◆ **439 profundum** Meer(estiefe) ◆ **440 ūdus** feucht, nass | **capillus** → V ◆ **441 cessāre** innehalten, rasten ◆ **442 flammifer, -a, -um** brennend, leuchtend | **pīnus, -ūs** (f.) Fackel (aus Fichtenholz) | **succendere** ~ *incendere* | **ab Aetnā** hier: am Ätna ◆ **443 pruīnōsus** taufeucht, kühl | **irrequiētus** rastlos | **tenebrae, -ārum** Finsternis ◆ **444 ubī** hier: sooft | **diēs** hier: Tageslicht | **hebetārat** ~ *hebetaverat* (*hebetare* verdunkeln) | **sīdus** → V | **nāta** → V

◆ **463 longa mora est** ~ *longum est* | **orbis dēfuit** kein Land war mehr übrig (zum Durchsuchen)

Sicaniam repetit, dumque omnia lustrat eundo,
venit et ad Cyanen. Ea ni mutata fuisset,
omnia narrasset; sed et os et lingua volenti
dicere non aderant, nec, quo loqueretur, habebat;
signa tamen manifesta dedit notamque parenti,
illo forte loco delapsam in gurgite sacro
Persephones zonam summis ostendit in undis.
Quam simul agnovit, tamquam tum denique raptam
scisset, inornatos laniavit diva capillos
et repetita suis percussit pectora palmis.
Nescit adhuc, ubi sit; terras tamen increpat omnes
ingratasque vocat nec frugum munere dignas,
Trinacriam ante alias, in qua vestigia damni
repperit. Ergo illic saeva vertentia glaebas
fregit aratra manu, parilique irata colonos
ruricolasque boves leto dedit arvaque iussit
fallere depositum vitiataque semina fecit.
Fertilitas terrae latum vulgata per orbem

◆ **464 repetere** hier: wieder aufsuchen **lūstrāre** durchwandern | **eundō** im Gehen, zu Fuß ◆ **465 et** ~ *etiam* | **nī** ~ *nisi* ◆ **466 narrāsset** ~ *narravisset* ◆ **468 manifestus** greifbar, deutlich | **468 ff.** ordne *zōnam Persephonēs parentī nōtam in gurgite sacrō dēlāpsam ostendit* ◆ **469 dēlābī** < *de* + *labi* | **gurges** → V ◆ **470 zōna** Gürtel ◆ **471 quam** ⟨*zonam*⟩ | **agnōscere** erkennen | ⟨*filiam*⟩ **raptam** ⟨*esse*⟩ ◆ **472 scīsset** ~ *scivisset* | **in-ōrnātus** ↔ *ornatus* (< *ornare*) | **laniāre** → V | **dīva** Subst.! | **capillus** → V ◆ **473 repetīta** im Dt. Adv. | **pectora percutere** auf die Brust schlagen (als Zeichen der Trauer) | **palma** → V ◆ **474 ubī** ⟨*filia*⟩ **sit** | **increpāre** tadeln, Vorwürfe machen ◆ **475 in-grātus** ↔ *gratus* | **frūx** → V ◆ **477 glaeba** Erdscholle | **477 f.** ordne *saevā manū arātra glaebās vertentia frēgit* ◆ **478 arātrum** Pflug | **colōnus** Bauer | **parilī** (~ *pari*) … **lētō dēdit** (*lētum dare* dem Tod weihen) ◆ **479 rūricolās** das Feld bebauend (Bez. auf *bovēs*) | **arvum** → V ◆ **480 dēpositum fallere** »anvertrautes Saatgut veruntreuen«: nicht aufgehen | **vitiātum facere** vernichten | **sēmen** → V ◆ **481 fertilitās** Fruchtbarkeit | **vulgātus** allgemein bekannt

falsa iacet: primis segetes moriuntur in herbis,
et modo sol nimius, nimius modo corripit imber;
sideraque ventique nocent, avidaeque volucres
semina iacta legunt; lolium tribulique fatigant
triticeas messes et inexpugnabile gramen.
Tum caput Eleis Alpheias extulit undis
rorantesque comas a fronte removit ad aures
atque ait »O toto quaesitae virginis orbe
et frugum genetrix, immensos siste labores
neve tibi fidae violenta irascere terrae!
Terra nihil meruit patuitque invita rapinae,
nec sum pro patria supplex: huc hospita veni.
Pisa mihi patria est et ab Elide ducimus ortus,
Sicaniam peregrina colo, sed gratior omni
haec mihi terra solo est: hos nunc Arethusa penates,
hanc habeo sedem. Quam tu, mitissima, serva.
Mota loco cur sim tantique per aequoris undas

◆ **482 falsa iacēre** »trügerisch daliegen«: als Lügnerin dastehen | **prīmīs in herbīs** beim ersten Aufkeimen | **seges, -etis** (f.) Saat ◆ **483 corripere, -ripiō** dahinraffen | **imber, imbris** (m.) Regen ◆ **484 sīdus** →V (*sīderaquē!*) | **volucris** →V ◆ **485 sēmen** →V | **iacere** hier: auswerfen | **legere** ~ *colligere* | **lolium** Lolch, **tribulus** Burzeldorn (beides Unkraut) | **fatīgāre** ersticken, überwuchern ◆ **486 trīticea messis, -is** (f.) Weizenernte | **inexpūgnābilis** unausrottbar | **grāmen, -inis** (n.) Unkraut

◆ **487 Ēlēus** aus Elis kommend | **Alphēias** Arethusa, →ENV Alpheus ◆ **488 rōrāre** triefen ◆ **490 frūx** →V | **genetrīx, -īcis** ~ *māter* | **immēnsus** unermesslich | **sistere** hier: einstellen, beenden ◆ **491 nēve** und nicht | **violentus** heftig (im Dt. Adv.) | **īrāscī** zürnen, wüten gegen ◆ **492 merēre** hier: verschulden ◆ **493 supplex esse** demütig bitten | **hospita** weiblicher Gast ◆ **494 ortūs dūcere** stammen aus ◆ **495 peregrīna** Fremde (präd.) | **colere** ~ *incolere* | **grātus** hier: lieb, wert ◆ **495 f.** ordne *haec terra mihī grātior omnī solō est* ◆ **496 Arethūsa** ⟨*habet*⟩ ◆ **497 quam** ⟨*sedem*⟩ | **mītis** →V ◆ **498 locō movērī** die Heimat verlassen | **aequor** →V

advehar Ortygiam, veniet narratibus hora
tempestiva meis, cum tu curaque levata
et vultus melioris eris. Mihi pervia tellus
praebet iter, subterque imas ablata cavernas
hic caput attollo desuetaque sidera cerno.
Ergo dum Stygio sub terris gurgite labor,
visa tua est oculis illic Proserpina nostris:
illa quidem tristis neque adhuc interrita vultu,
sed regina tamen, sed opaci maxima mundi,
sed tamen inferni pollens matrona tyranni!«
Mater ad auditas stupuit ceu saxea voces
attonitaeque diu similis fuit, utque dolore
pulsa gravi gravis est amentia, curribus oras
exit in aetherias: ibi toto nubila vultu
ante Iovem passis stetit invidiosa capillis
»Pro« que »meo veni supplex tibi, Iuppiter«, inquit

◆ **499 advehī** gelangen nach ◆ **499 f.** ordne *veniet hōra tempestīva nārrātibus meīs* ◆ **500 tempestīvus** zeitlich günstig, geeignet | **levāre** →V ◆ **501 melior** hier: heiterer, fröhlicher | **pervia** sich öffnend, zugänglich ◆ **502 subter** + Akk.: unter … hin | **īmae cavernae** die untersten Höhlen | **auferre** hier: wegspülen (durch die Strömung) ◆ **503 attollere, -tollō** emporheben | **dēsuētus** fremd geworden | **sīdus** →V ◆ **504 Stygius** →V | **gurges** →V | **lābor**! ◆ **506–508** elliptisch! ◆ **506 interritus** unerschrocken | **vultū** Abl. limitationis ◆ **507 maxima** Subst. | **mundus opācus** die Unterwelt (*opacus* düster, dunkel) ◆ **508 tyrannus īnfernus** (gemeint ist Pluto, *infernus* unterirdisch) | **pollēns** ~ *potens* | **mātrōna** ~ *uxor*

◆ **509 stupēre** →V | **ceu saxea** wie versteinert ◆ **510 attonitus** bestürzt, vom Donner gerührt ◆ **510 f.** ordne *ut āmentia* (Betäubung) *gravis dolōre gravī pulsa est* ◆ **511 ōrae … aetheriae** himmlische Gefilde, Lüfte ◆ **512 nūbilus** düster, umwölkt ◆ **513 capillī passī** gelöste Haare (Zeichen der Trauer) | **invidiōsus** hier: voll Hass, Groll | **stāre** ~ *consistere* ◆ **514 supplex** demütig bittend | **tibī** zu dir

»sanguine proque tuo: si nulla est gratia matris,
nata patrem moveat, neu sit tibi cura, precamur,
vilior illius, quod nostro est edita partu.
En quaesita diu tandem mihi nata reperta est,
si reperire vocas amittere certius, aut si
scire, ubi sit, reperire vocas. Quod rapta, feremus,
dummodo reddat eam! Neque enim praedone marito
filia digna tua est, si iam mea filia non est.«
Iuppiter excepit »Commune est pignus onusque
nata mihi tecum; sed si modo nomina rebus
addere vera placet, non hoc iniuria factum,
verum amor est; neque erit nobis gener ille pudori,
tu modo, diva, velis. Ut desint cetera, quantum est
esse Iovis fratrem! Quid, quod nec cetera desunt
nec cedit nisi sorte mihi? Sed tanta cupido
si tibi discidii est, repetet Proserpina caelum,
lege tamen certa, si nullos contigit illic
ore cibos; nam sic Parcarum foedere cautum est.«

◆ **515 sanguis** →ENV Proserpina | **nūllus** hier: nichts wert, unbedeutend | **grātia** ~ *amor* ◆ **516 nāta** →V | **neu** und nicht | **cūra … illīus** ◆ **517 vīlis** wenig wert | **partū ēdere** gebären ◆ **518 en** siehe da! | ordne *nāta* (→V) *diū quaesīta* ◆ **519 f.** ordne *sī certius āmittere* (~ *certum damnum*) ›*reperīre*‹ *vocās* ◆ **520 scīre** ~ *scientia* ◆ **520 f.** ordne *ferēmus, quod* ⟨*filia*⟩ *rapta* ⟨*est*⟩, *dummodo* ⟨*Pluto*⟩ *eam reddat!* ◆ **521 dummodo** + Konj.: wenn nur | **praedō, -ōnis** (m.) Räuber | **marītō** präd. ◆ **522** Sinn: schon als m e i n e Tochter verdient sie keinen Räuber, viel weniger als d e i n e ◆ **523 excīpere** ~ *respondere* | **pīgnus, -oris** (n.) Liebespfand ◆ **524 nāta** →V ◆ **526 gener** →V | **pudōrī esse** Schande machen ◆ **527 modo** ~ *dummodo* wenn nur | **dīva** Subst.! | **cētera** (gemeint sind sonstige Vorzüge) | **quantum est** wie viel bedeutet es ◆ **528 quid** ⟨*dicis*⟩, **quod** (dass) ◆ **529 cēdere** hier: nachstehen | **nisī sorte** nur durch das Los, →ENV Pluto ◆ **530 discidium** (Ehe-)Scheidung | **repetere** hier: zurückkehren | **ōre contingere** ~ *edere* ◆ **531 certā lēge** ~ *ea condicione* ◆ **532 cautus** vereinbart, angeordnet

Dixerat, at Cereri certum est educere natam;
non ita fata sinunt, quoniam ieiunia virgo 534
solverat et, cultis dum simplex errat in hortis,
puniceum curva decerpserat arbore pomum
sumptaque pallenti septem de cortice grana 537
presserat ore suo.

Proserpina muss also in der Unterwelt bleiben. Doch Jupiter vermittelt und findet einen Kompromiss.

At medius fratrisque sui maestaeque sororis 564
Iuppiter ex aequo volventem dividit annum:
nunc dea, regnorum numen commune duorum,
cum matre est totidem, totidem cum coniuge menses. 567
Vertitur extemplo facies et mentis et oris;
nam modo quae poterat Diti quoque maesta videri,
laeta deae frons est, ut sol, qui tectus aquosis 570
nubibus ante fuit, victis e nubibus exit.

◆ **533 nāta** →V ◆ **534 iēiūnia solvere** das Fasten brechen ◆ **535 simplex** hier: arglos, naiv ◆ **536 pūniceum pōmum** Granatapfel | **curvus** gebogen | **dēcerpere, -cerpō, -cerpsī** abpflücken ◆ **537 pallēre** weiß, grünlich sein | **cortex, -icis** (m.) Schale | **grānum** Kern ◆ **538 ōre premere** zerkauen

◆ **564 medius** + Gen.: als Vermittler zwischen | **frāter** (gemeint ist Pluto) | **maestus** traurig | **soror** (gemeint ist Ceres) ◆ **565 ex aequō** gleichmäßig ◆ **566 f.** ordne *dea totidem* (→V) *mēnsēs cum mātre est, totidem (= quot) cum coniuge* ◆ **568 vertī** sich ändern | **extemplō** sofort | **faciēs mentis** Stimmung | **faciēs ōris** ~ *vultus* ◆ **569 f.** ordne *nam deae frōns, quae modo poterat …, laeta est* | **570 aquōsa … nūbēs** Regenwolke ◆ **571 exīre** hier: hervortreten

10. Arachne (6,1–145)

Die Musen berichten Minerva von der Bestrafung aufsässiger Menschen. Auch Minerva wird in Lydien nicht der ihr gebührende Respekt entgegengebracht und so sinnt sie auf Vergeltung.

Praebuerat dictis Tritonia talibus aures
carminaque Aonidum iustamque probaverat iram;
tum secum: ›Laudare parum est, laudemur et ipsae
numina nec sperni sine poena nostra sinamus.‹
Maeoniaeque animum fatis intendit Arachnes,
quam sibi lanificae non cedere laudibus artis
audierat. Non illa loco nec origine gentis
clara, sed arte fuit: pater huic Colophonius Idmon
Phocaico bibulas tingebat murice lanas;
occiderat mater, sed et haec de plebe suoque
aequa viro fuerat; Lydas tamen illa per urbes
quaesierat studio nomen memorabile, quamvis
orta domo parva parvis habitabat Hypaepis.
Huius ut aspicerent opus admirabile, saepe
deseruere sui nymphae vineta Timoli,
deseruere suas nymphae Pactolides undas.

◆ **1 aurēs praebēre** zuhören ◆ **3 sēcum** ⟨*dixit*⟩ | **et** ~ *etiam* ◆ **3 f.** (Athene spricht von sich selbst im Plural) ◆ **4 spernere** → V ◆ **5 Maeonius** Adj. zu *Maeonia* | **fātum** hier: Untergang | **intendere** hier: richten auf ◆ **6 lānifica ars** Webkunst | **cēdere** + Abl. hier: nachstehen in ◆ **7 audiērat** ~ *audiverat* | **locus** hier: gesellschaftlicher Stand ◆ **8 Colophōnius** Adj. zu *Colophon* ◆ **9 Phōcaicus** Adj. zu *Phocaea* | **bibulus** saugfähig, Farbe annehmend | **tingere** → V | **mūrex, -icis** (m.) Purpurschnecke, -farbe | **lāna** Wolle ◆ **11 Lȳdus** Adj. zu *Lydia* ◆ **12 quaesierat** ~ *quaesiverat* | **memorābilis** berühmt, erinnerungswürdig | **quamvīs** → V ◆ **15 deseruēre** ~ *deseruerunt* | **nympha** → V | **vīnētum** Weinberg ◆ **16 Pactōlidēs** Nom. Pl. (Adj. zu *Pactolus*)

Nec factas solum vestes spectare iuvabat,
tum quoque, cum fierent: tantus decor affuit arti,
sive rudem primos lanam glomerabat in orbes,
seu digitis subigebat opus repetitaque longo
vellera mollibat nebulas aequantia tractu,
sive levi teretem versabat pollice fusum,
seu pingebat acu; scires a Pallade doctam.
Quod tamen ipsa negat tantaque offensa magistra
»Certet« ait »mecum: nihil est, quod victa recusem!«
  Pallas anum simulat: falsosque in tempora canos
addit et infirmos, baculo quos sustinet, artus.
Tum sic orsa loqui »Non omnia grandior aetas,
quae fugiamus, habet: seris venit usus ab annis.
Consilium ne sperne meum: tibi fama petatur
inter mortales faciendae maxima lanae;
cede deae veniamque tuis, temeraria, dictis
supplice voce roga: veniam dabit illa roganti.«
Aspicit hanc torvis inceptaque fila relinquit

◆ **17 vestis** hier: Gewebe ◆ **18 tum quoque** ~ *sed etiam* | **cum** ⟨*vestes*⟩ **fierent** | **decor** hier: Anmut ◆ **19–23** (Die Verse beschreiben Arbeitsschritte beim Spinnen von Wolle) ◆ **19 rudis** ungesponnen, roh | **lāna** Wolle | **glomerāre** zusammenballen | **orbis** hier: Kugel ◆ **20 digitus** →V | **subigere, -igō** bearbeiten | **repetere** hier: wiederholt ziehen ◆ **21 vellera, -um** (n.) Wollfäden | **mollīre** →V | **nebula** Nebelschleier | **aequāre** hier: gleichen | **tractus, -ūs** (m.) Ziehen ◆ **22 teres, -etis** länglich, schlank | **versāre pollice fūsum** »die Spindel mit dem Daumen drehen«: spinnen ◆ **23 acus, -ūs** (f.) Nadel | ⟨*eam*⟩ **doctam** ⟨*esse*⟩ ◆ **24 tamen** ~ *autem* | **tantā offēnsa magistrā** ~ *offensa, quod opinabantur tantam deam fuisse magistram* ◆ **25 victa** präd.

◆ **26 anus, -ūs** (f.) alte Frau | **tempus, -oris** (n.) Schläfe | **cānōs** ⟨*capillos*⟩ (*cānus* grau, *capillus* →V) ◆ **27 baculum** Stock | **artus** →V ◆ **28 ōrdīrī, ōrdior, ōrsus sum** beginnen, **ōrsa** ⟨est⟩ ◆ **29 sērus** spät ◆ **30 spernere** →V ◆ **31 lānam facere** spinnen ◆ **32 temerārius, -a, -um** < *temeritas* ◆ **33 supplex** →V ◆ **34 torvīs** ⟨*oculis*⟩ (*torvus* drohend, finster) | **fīlum** Faden | **relinquere** hier: beiseite legen

vixque manum retinens confessaque vultibus iram
talibus obscuram resecuta est Pallada dictis:
»Mentis inops longaque venis confecta senecta,
et nimium vixisse diu nocet. Audiat istas,
si qua tibi nurus est, si qua est tibi filia, voces;
consilii satis est in me mihi, neve monendo
profecisse putes, eadem est sententia nobis.
Cur non ipsa venit? Cur haec certamina vitat?«
Tum dea »Venit!« ait formamque removit anilem
Palladaque exhibuit: venerantur numina nymphae
Mygdonidesque nurus; sola est non territa virgo,
sed tamen erubuit, subitusque invita notavit
ora rubor rursusque evanuit, ut solet aër
purpureus fieri, cum primum Aurora movetur,
et breve post tempus candescere solis ab ortu.
Perstat in incepto stolidaeque cupidine palmae
in sua fata ruit; neque enim Iove nata recusat
nec monet ulterius nec iam certamina differt.
Haud mora, constituunt diversis partibus ambae

◆ **36 obscūrus** hier: verkleidet | **resequī** + Akk.: entgegnen ◆ **37 mentis inops** ohne Verstand | **cōnficere** hier: aufreiben, schwächen | **senecta** ~ *senectus* ◆ **39 nurus, -ūs** (f.) Schwiegertochter ◆ **40 nēve** und nicht ◆ **41 prōficere** Fortschritte machen, etw. ausrichten ◆ **42 ipsa, haec** (gemeint sind Pallas, Minerva) ◆ **43 fōrma anīlis** die Gestalt der alten Frau ◆ **44 exhibēre** + Akk.: sich zeigen als | **nūmina** poet. Pl. | **nympha** →V ◆ **45 Mygdonis, -idis** lydisch | **nurus, -ūs** (f.) hier: Tochter | **virgō** (gemeint ist Arachne) ◆ **46 ērubēscere, ērubēscō, ērubuī** erröten | **notāre** hier: zeichnen, überziehen ◆ **47 rubor** →V | **ēvānēscere, ēvānēscō, ēvānuī** verschwinden ◆ **48 purpureus** purpurrot | **movērī** hier: erscheinen ◆ **49 candēscere** weiß werden, erglänzen ◆ **50 perstāre in** beharren auf | **inceptum** Vorhaben | **stolidus** dumm, töricht | **palma** →V ◆ **51 in fāta ruere** sich ins Unglück stürzen | **nāta** →V ◆ **52 ulterius** hier: darüber hinaus, mehr ◆ **53 haud mora** und sofort | **cōnstituere** hier: Webstühle aufstellen | **ambō** →V

et gracili geminas intendunt stamine telas:
tela iugo vincta est, stamen secernit harundo,
inseritur medium radiis subtemen acutis,
quod digiti expediunt, atque inter stamina ductum
percusso paviunt insecti pectine dentes.
Utraque festinant cinctaeque ad pectora vestes
bracchia docta movent studio fallente laborem.
Illic et Tyrium quae purpura sensit aenum
texitur et tenues parvi discriminis umbrae;
qualis ab imbre solent percussis solibus arcus
inficere ingenti longum curvamine caelum;
in quo diversi niteant cum mille colores,
transitus ipse tamen spectantia lumina fallit:
usque adeo, quod tangit, idem est; tamen ultima distant.

◆ **54 gracilis** dünn | **geminus** →V | **intendere** bespannen | **stāmen, -inis** (n.) (Kett-, Grund-)Faden | **tēla** Webstuhl ◆ **55 iugō vincīre** mit einem Querbalken verbinden, zusammenhalten | **sēcernere** trennen | **harundō** →V ◆ **56 inserere** einweben | **medium** übers. als Adv.: dazwischen | **radius** Weberschiffchen | **subtēmen, -inis** (n.) Querfaden | **acūtus** spitz zulaufend ◆ **57 digitus** →V | **expedīre** hier: abwickeln | ⟨*subtemen*⟩ **inter stāmina ductum** ◆ **58 percussō paviunt īnsectī pectine dentēs** ~ *pavit percussum pecten insectis dentibus* | **pavīre** festschlagen | **percutere** hier: hindurchstoßen | **pecten, -inis** (m.) Weberkamm | **īnsecāre, -secō, -secuī, -sectum** einschneiden ◆ **59 cingere** hier: hochgürten ◆ **60 bracchium** →V | **doctus** hier: geschickt ◆ **61 f.** ordne *purpura, quae aēnum Tyrium sēnsit* | **Tyrius** Adj. zu *Tyrus* | **purpura** Purpur | **sentīre** hier: zu spüren bekommen | **aēnum** Färbekessel ◆ **62 texere** hineinweben | **tenuis** →V | **discrīmen** hier: Farbunterschied | **umbra** hier: Schattierung ◆ **63 quālis** hier: wie | **imber, -bris** (m.) Regen | **percutere** →V | **sōl** hier: Sonnenstrahl | **arcus** →V ◆ **64 īnficere** färben | **curvāmen, -inis** (n.) Krümmung, Rundung ◆ **65 quō** ~ *arcu* | **nitēre** erstrahlen, glänzen | **cum … tamen** wenn auch … dennoch ◆ **66 trānsitus, -ūs** (m.) Übergang | **lūmen** →V ◆ **67 idem** ~ *eodem colore* | **ultima** (Neutr. Pl.) hier: Ränder

Illic et lentum filis immittitur aurum
et vetus in tela deducitur argumentum.

Die Bilder der Minerva.

Cecropia Pallas scopulum Mavortis in arce
pingit et antiquam de terrae nomine litem.
Bis sex caelestes medio Iove sedibus altis
augusta gravitate sedent; sua quemque deorum
inscribit facies: Iovis est regalis imago;
stare deum pelagi longoque ferire tridente
aspera saxa facit, medioque e vulnere saxi
exsiluisse fretum, quo pignore vindicet urbem;
at sibi dat clipeum, dat acutae cuspidis hastam,
dat galeam capiti, defenditur aegide pectus,
percussamque sua simulat de cuspide terram
edere cum bacis fetum canentis olivae;
mirarique deos: operis Victoria finis.
Ut tamen exemplis intellegat aemula laudis,

◆ **68 lentus** geschmeidig | **filum** Faden | **immittere** hineinweben ◆ **69 tēla** hier: Gewebe | **dēdūcere** hier: darstellen

◆ **70 Cecropius** attisch | **scopulus Māvortis** »Hügel des Mars«: Areopag ◆ **71 pingere** hier: einweben, darstellen | **līs, lītis** (f.) Streit (um die Burg Athen) ◆ **72 mediō Iove** mit Jupiter in der Mitte ◆ **74 īnscrībere** kenntlich machen | **rēgālis** königlich ◆ **75 pelagus, -ī** (n.) Meer | **ferīre** schlagen, stoßen | **tridēns, -ntis** (m.) Dreizack ◆ **76 facere** ~ *fingere*, Subj. ist *Minerva* ◆ **77 exsilīre** entspringen | **fretum** Quelle (aus Salzwasser!) | **pīgnus, -oris** (n.) Zeichen, Unterpfand ◆ **78 sibī** (Minerva webt sich selbst ein!) | **clipeus** eherner Rundschild | **cuspis, -idis** (f.) Spitze | **hasta** Lanze ◆ **79 galea** Lederhelm | **aegis, -idis** (f.) Ägis (schildartige Wunderwaffe Minervas mit Gorgonenhaupt in der Mitte) ◆ **80 percutere** →V | **simulāre** + AcI ◆ **81 bāca** Beere | **fētus** →V | **cānēre** graugrün sein ◆ **82 fīnis** ⟨*est*⟩ ◆ **83 tamen** hier: doch wenigstens | **aemula** Rivalin

quod pretium speret pro tam furialibus ausis
quattuor in partes certamina quattuor addit,
clara colore suo, brevibus distincta sigillis:
Threiciam Rhodopen habet angulus unus et Haemum,
nunc gelidos montes, mortalia corpora quondam,
nomina summorum sibi qui tribuere deorum;
altera Pygmaeae fatum miserabile matris
pars habet: hanc Iuno victam certamine iussit
esse gruem populisque suis indicere bellum;
pinxit et Antigonen ausam contendere quondam
cum magni consorte Iovis, quam regia Iuno
in volucrem vertit, nec profuit Ilion illi
Laomedonve pater, sumptis quin candida pennis
ipsa sibi plaudat crepitante ciconia rostro;
qui superest solus, Cinyran habet angulus orbum;
isque gradus templi, natarum membra suarum,
amplectens saxoque iacens lacrimare videtur.
Circuit extremas oleis pacalibus oras
(is modus est) operisque sua facit arbore finem.

◆ **84 spērāre** hier: zu erwarten haben | **furiālis** wahnsinnig | **ausum, -ī** < *audere* ◆ **85 pars** hier: Ecke ◆ **86 clāra, distīncta** Bez. auf *certāmina* | **distīnctus** geschmückt | **breve sigillum** kleine Figur ◆ **87 Thrēicius** Adj. zu *Thracia* | **angulus** Ecke, Winkel ◆ **88 gelidus** →V | **quondam** →V ◆ **89 tribuēre** ~ *tribuerunt* ◆ **90 Pygmaeus** Adj. zu *Pygmaei* | **miserābilis** beklagenswert ◆ **92 grūs, gruis** (f.) Kranich | **bellum indīcere** den Krieg erklären ◆ **93 quondam** →V ◆ **94 cōnsors** ~ *uxor* ◆ **95 volucris** →V | **vertere** hier: verwandeln ◆ **95 nec prōdesse, … quīn** nicht verhindern können, dass ◆ **96 sūmere** hier: anlegen | **candidus** →V | **penna** →V ◆ **97 plaudere** Beifall spenden | **crepitāre** klappern | **cicōnia** Storch | **rōstrum** Schnabel ◆ **98 f.** ordne *angulus sōlus, quī superest* | **angulus** Ecke, Winkel | **orbus** kinderlos ◆ **99** nāta →V ◆ **100 amplectī** umarmen | **lacrimāre** < *lacrima* ◆ **101 circuīre** ~ *circumdare* | **olea** Olivenzweig | **pācālis** Friedens- | **ōra** hier: Saum ◆ **102 modus** hier: Rahmen, Rand

Die Bilder der Arachne.

Maeonis elusam designat imagine tauri
Europam: verum taurum, freta vera putares;
ipsa videbatur terras spectare relictas
et comites clamare suas tactumque vereri
assilientis aquae timidasque reducere plantas.
Fecit et Asterien aquila luctante teneri,
fecit olorinis Ledam recubare sub alis;
addidit, ut satyri celatus imagine pulchram
Iuppiter implerit gemino Nycteida fetu,
Amphitryon fuerit, cum te, Tirynthia, cepit,
aureus ut Danaen, Asopida luserit ignis,
Mnemosynen pastor, varius Deoida serpens.
Te quoque mutatum torvo, Neptune, iuvenco
virgine in Aeolia posuit; tu visus Enipeus
gignis Aloidas, aries Bisaltida fallis,
et te flava comas frugum mitissima mater
sensit equum, sensit volucrem crinita colubris

◆ **103 Maeonis, -idis** (f.) Lydierin: Arachne | **ēlūdere** ~ *fallere* | **dēsīgnāre** beschreiben, einweben | **taurus** →V ◆ **104 f.** ordne *putārēs taurum vērum* ⟨*et*⟩ *freta vēra* ⟨*esse*⟩ | **fretum** Meer ◆ **106 tāctus, -ūs** (m.) < *tangere* ◆ **107 assilīre** heranwogen | **timidus** →V | **planta** Fußsohle ◆ **108 aquila** Adler | **luctārī** ringen mit ◆ **109 olōrīnus** Schwanen- | **recubāre** ruhen ◆ **110 satyrus** Satyr (Begleiter des Bacchus) ◆ **111 implērit** ~ *impleverit* (*implēre fētū* schwängern) | **geminus** →V ◆ **113 f.** ordne *ut aureus* (als goldener Regen) *Danaēn,* ⟨*ut*⟩ *īgnis Asopida lūserit* | **lūdere** ~ *fallere* ◆ **114 pāstor** →V | **varius** hier: schillernd | **serpēns, -ntis** (m.) Schlange ◆ **115 torvus** drohend, finster | **iuvencus** junger Stier ◆ **116 Aeolius** Adj. zu *Aeolus* | **vīsus** erschienen als ◆ **117 gignere** zeugen | **ariēs, -etis** (m.) Widder ◆ **118 flāva comās** mit blondem Haar (Akk. Graecus) | **frūx** →V | **mītis** →V | **tē … equum** dich als Pferd ◆ **119 volucris** →V | **crīnīta colubrīs … māter** schlangenhaarige Mutter (gemeint ist Medusa)

mater equi volucris, sensit delphina Melantho:
omnibus his faciemque suam faciemque locorum
reddidit. Est illic agrestis imagine Phoebus,
utque modo accipitris pennas, modo terga leonis
gesserit, ut pastor Macareida luserit Issen,
Liber ut Erigonen falsa deceperit uva,
ut Saturnus equo geminum Chirona crearit.
Ultima pars telae, tenui circumdata limbo,
nexilibus flores hederis habet intertextos.

Non illud Pallas, non illud carpere Livor
possit opus: doluit successu flava virago
et rupit pictas, caelestia crimina, vestes,
utque Cytoriaco radium de monte tenebat,
ter quater Idmoniae frontem percussit Arachnes.
Non tulit infelix laqueoque animosa ligavit
guttura: pendentem Pallas miserata levavit
atque ita »Vive quidem, pende tamen, improba« dixit,
»lexque eadem poenae, ne sis secura futuri,

◆ **120 volucris** geflügelt | **delphīna** Akk. Sg. ◆ **122 reddidit** Subj. ist *Arachne* | **agrestis imāgine** in Gestalt eines Bauern ◆ **123 accipiter, -tris** (m.) Habicht | **penna** →V | **terga** hier: Fell ◆ **124 pāstor** →V | **lūdere** ~ *fallere* ◆ **125 ūva** Weintraube ◆ **126 equō** in Pferdegestalt | **geminus** hier: doppelgestaltig, →ENV Chiron | **creārit** ~ *creaverit* ◆ **127 ultima pars** Rand | **tēla** hier: Gewebe | **tenuis** →V | **limbus** Bordüre ◆ **128 nexilis** gewunden | **hedera** Efeuranke | **intertexere, -texō, -texuī, textum** einweben

◆ **129 carpere** hier: kritisieren | **Līvor, -ōris** (m.) Neid ◆ **130 successus, -ūs** (m.) Erfolg | **flāvus** →V | **virāgō, -inis** (f.) Heldin ◆ **131 rumpere** hier: zerreißen | **pictus** bunt | **vestis** hier: Gewebe ◆ **132 radius** Weberschiffchen ◆ **133 Idmonius** Adj. zu *Idmon* | **percutere** →V ◆ **134 ferre** ~ *perferre* | **laqueus** Strick | **animōsus** stolz (übers. als Adv.) | **ligāre** zuschnüren ◆ **135 guttur, -uris** (n.) Kehle | **miserārī** →V ◆ **136 levāre** →V ◆ **137 futūrī** ⟨*temporis*⟩ | **lēx eadem poenae … dicta estō** dieselbe Strafe soll gelten

dicta tuo generi serisque nepotibus esto!«
Post ea discedens sucis Hecateidos herbae
sparsit: et extemplo tristi medicamine tactae
defluxere comae, cum quis et naris et aures,
fitque caput minimum; toto quoque corpore parva est:
in latere exiles digiti pro cruribus haerent,
cetera venter habet, de quo tamen illa remittit
stamen et antiquas exercet aranea telas.

11. Niobe (6,146–312)

Die Bestrafung der Arachne, die für ihren Hochmut gegen die Götter mit dem Verlust ihres menschlichen Wesens bezahlen musste, ist nicht allen eine Lehre. Königin Niobe von Theben ist allzu stolze Mutter von 14 Kindern. Die Verehrung der Göttin Latona, die nur zwei Kinder hat, ist ihr ein Dorn im Auge.

Lydia tota fremit, Phrygiaeque per oppida facti
rumor it et magnum sermonibus occupat orbem.
Ante suos Niobe thalamos cognoverat illam,

◆ **138 gener** →V | **sērus** spät (übers. als Adv. im Komp.) | **nepōs, -ōtis** (m.) Enkel, Nachkomme ◆ **139 sūcus** Saft | **Hecatēidos** (Gen. Sg.) der Hekate ◆ **140 spargere, spargō, sparsī** besprengen | **extemplō** sofort | **trīstis** hier: unheilvoll, höllisch | **medicāmen, -inis** (n.) Zaubermittel, Gift ◆ **141 dēfluxēre** ~ *defluxerunt* (*defluere* ausfallen) | **coma** →V | **quīs** ~ *quibus* | **nāris, -is** (f.) Nase ◆ **143 exīlis** dürr, mager | **crūs, crūris** (n.) Bein ◆ **144 cētera** ⟨*crura*⟩ | **remittere** hier: herausziehen ◆ **145 stāmen, -inis** (n.) (Kett-, Grund-)Faden | **arānea** Spinne (präd.) | **tēlae** hier: Webkunst

◆ **146 fremere** laut von etw. sprechen, murren ◆ **148 thalamus** Hochzeit (poet. Pl.) | **illam** (gemeint ist Arachne)

tum cum Maeoniam virgo Sipylumque colebat;
nec tamen admonita est poena popularis Arachnes
cedere caelitibus verbisque minoribus uti.
Multa dabant animos; sed enim nec coniugis artes
nec genus amborum magnique potentia regni
sic placuere illi, quamvis ea cuncta placerent,
ut sua progenies; et felicissima matrum
dicta foret Niobe, si non sibi visa fuisset.
Nam sata Tiresia venturi praescia Manto
per medias fuerat divino concita motu
vaticinata vias: »Ismenides, ite frequentes
et date Latonae Latonigenisque duobus
cum prece tura pia lauroque innectite crinem:
ore meo Latona iubet.« Paretur, et omnes
Thebaides iussis sua tempora frondibus ornant
turaque dant sanctis et verba precantia flammis.
  Ecce venit comitum Niobe celeberrima turba

◆ **149 virgō** präd. | **colere** ~ *incolere* ◆ **150 populāris, -is** (f.) Landsmännin ◆ **151 caeles, -itis** ~ *caelestis* | **minor** hier: bescheidener, demütiger ◆ **152 animōs dare** stolz machen | **artēs** →ENV Amphion ◆ **153 genus** hier: vornehme Abstammung, →ENV Niobe | **ambō** →V ◆ **154 placuēre** ~ *placuerunt* | **quamvīs** →V ◆ **155 prōgeniēs, -ēī** (f.) Nachkommenschaft, Kinder ◆ **156 foret** ~ *esset* | **fuisset** ~ *esset*, erg. *felicissima* ◆ **157 sata** (*serere* säen) **Tīresiā** ~ *filia Tiresiae* | **ventūrī** ⟨*temporis*⟩ | **praescius** + Gen.: vorher wissend, ahnend (Bez. auf *Manto*) ◆ **158 conciēre, -cieō, -cīvī, -citum** antreiben | **mōtus** hier: Begeisterung ◆ **158 f.** ordne *per mediās viās vāticināta fuerat* (= *erat*) ◆ **159 vāticinārī** weissagen, verkünden | **Ismēnidēs** Thebanerinnen (Vok.!), →ENV Ismenus ◆ **160 Lātōni-gena, -ae** (m.)/(f.) Kind der Latona ◆ **161 prece piā** übers. mit Pl. | **tūs, tūris** (n.) Weihrauch | **laurus** Lorbeer (Kränze waren Teil der Opfertracht) | **innectere** umbinden, umkränzen | **163 Thebaïdēs** Thebanerinnen (alle außer Niobe) | **tempus, -oris** (n.) Schläfe | **frōns** →V ◆ **164 dant** Zeugma!

◆ **165 celeberrima** hier: begleitet von

vestibus intexto Phrygiis spectabilis auro
et, quantum ira sinit, formosa; movensque decoro
cum capite immissos umerum per utrumque capillos
constitit, utque oculos circumtulit alta superbos,
»Quis furor auditos« inquit »praeponere visis
caelestes? Aut cur colitur Latona per aras,
numen adhuc sine ture meum est? Mihi Tantalus auctor,
cui licuit soli superorum tangere mensas;
Pleiadum soror est genetrix mea; maximus Atlas
est avus, aetherium qui fert cervicibus axem;
Iuppiter alter avus; socero quoque glorior illo.
Me gentes metuunt Phrygiae, me regia Cadmi
sub domina est, fidibusque mei commissa mariti
moenia cum populis a meque viroque reguntur.
In quamcumque domus adverti lumina partem,
immensae spectantur opes; accedit eodem

◆ **166 f.** ordne *spectābilis aurō Phrygiīs vestibus intextō* | **intexere, -texō, -texuī, -textum** + Dat.: hineinweben, -sticken | **Phrygius** Adj. zu *Phrygia* | **spectābilis** prächtig anzusehen, auffallend (Bez. auf *Niobe*) ◆ **167 quantum** hier: insoweit, als | **fōrmōsus** →V ◆ **168 immissī capillī** herabwallendes Haar | **umerus** Schulter ◆ **169 cōnstāre** hier: sich hinstellen | **oculōs circumferre** umherschauen | **alta** hier: aufrecht, hoch aufgerichtet (präd.) | **superbōs** übers. als Adv. ◆ **170 quis furor** + Inf.: Was für ein Wahnsinn | **audītōs** von denen man nur gehört hat | **praepōnere** < *prae* + *ponere* | **vīsīs** ⟨*caelestibus*⟩ ◆ **172 nūmen** göttliche Herkunft | **tūs, tūris** (n.) Weihrauch | **auctor** (= *pater*) ⟨*est*⟩ ◆ **173 superī** →V | **mēnsās tangere** →ENV Tantalus ◆ **174 Plēiadum soror** (gemeint ist Dione) | **genetrīx, -īcis** ~ *mater* ◆ **175 aetherium axem** Himmel | **cervīx** →V ◆ **176 socer, socerī** Schwiegervater ◆ **177 rēgia** ⟨*domus*⟩ Königspalast ◆ **177 f. mē sub dominā** unter meiner Herrschaft ◆ **178 fidēs, -ium** (f.) Saitenspiel | **committere** hier: zusammenfügen ◆ **180 advertere** < *ad* + *vertere* (im Dt. Präsens) | **lūmen** →V ◆ **181 immēnsus** unermesslich groß, riesig | **eōdem** dazu

digna dea facies; huc natas adice septem
et totidem iuvenes et mox generosque nurusque! 183
Quaerite nunc, habeat quam nostra superbia causam,
nescio quoque audete satam Titanida Coeo
Latonam praeferre mihi, cui maxima quondam 186
exiguam sedem pariturae terra negavit!
Nec caelo nec humo nec aquis dea vestra recepta est:
exsul erat mundi, donec miserata vagantem 189
›Hospita tu terris erras, ego‹ dixit ›in undis‹
instabilemque locum Delos dedit. Illa duorum
facta parens: uteri pars haec est septima nostri. 192
Sum felix (quis enim neget hoc?) felixque manebo
(hoc quoque quis dubitet?): tutam me copia fecit.
Maior sum quam cui possit Fortuna nocere, 195
multaque ut eripiat, multo mihi plura relinquet.
Excessere metum mea iam bona. Fingite demi
huic aliquid populo natorum posse meorum: 198
non tamen ad numerum redigar spoliata duorum,
Latonae turbam, qua quantum distat ab orba?

◆ **182 deā!** | **nāta** →V ◆ **183 totidem** →V | **gener** →V | **nurus, -ūs** (f.) Schwiegertochter ◆ **184 quaerite nunc!** Und da fragt ihr noch, …! ◆ **185 f.** ordne *et audēte Tītānida* (Titanentochter) *Lātōnam satam* (= *filiam*) *nesciō quō* (= *aliquo*) *Coeō, praeferre mihī* ◆ **186 f. cui … paritūrae** ◆ **187 exiguus** klein, winzig ◆ **189 miserārī** →V | **vagārī** umherschweifen ◆ **189 ff.** ordne *dōnec Dēlos miserāta vagantem dīxit* ◆ **190 hospita** Fremde (präd.) | **terrīs** ~ *per terras* ◆ **191 īn-stabilis** ↔ *stabilis* ◆ **192 facta** ⟨*est*⟩ | **parēns** ~ *mater* | **uterus** hier: Nachkommenschaft ◆ **194 cōpia** ⟨*liberorum*⟩ ◆ **195 quam cui** (~ *ut mihi*) als dass mir ◆ **196 ut** hier: selbst wenn (konz.) ◆ **197 excessēre** ~ *excesserunt* (*excedere* hier: überschreiten) | **fingere** + AcI: sich etwas vorstellen | **dēmere** wegnehmen ◆ **198 aliquid** ~ *unum* | **populus** ~ *liberi mei*! ◆ **199 redigere** reduzieren, beschränken auf | **spoliāta** konz. ◆ **199 f.** ordne *ad numerum duōrum, Lātōnae turbam, …* ◆ **200 quā** ⟨*turbā*⟩ **quantum** (wie wenig) | **orbus** kinderlos

Ite, satis, propere ite, sacri est, laurumque capillis
ponite!« Deponunt et sacra infecta relinquunt,
quodque licet, tacito venerantur murmure numen.
  Indignata dea est summoque in vertice Cynthi
talibus est dictis gemina cum prole locuta:
»En ego vestra parens, vobis animosa creatis,
et nisi Iunoni nulli cessura dearum,
an dea sim, dubitor perque omnia saecula cultis
arceor, o nati, nisi vos succurritis, aris.
Nec dolor hic solus; diro convicia facto
Tantalis adiecit vosque est postponere natis
ausa suis et me, quod in ipsam reccidat, orbam
dixit et exhibuit linguam scelerata paternam.«
Adiectura preces erat his Latona relatis:
»Desine!« Phoebus ait, »poenae mora longa querella est!«
Dixit idem Phoebe, celerique per aëra lapsu
contigerant tecti Cadmeida nubibus arcem.

◆ **201 propere īte** geht schnell! | ordne *satis sacrī est* | **laurus** Lorbeer (Kränze waren Teil der Opfertracht) | ⟨*de*⟩ **capillīs** (*capillus* →V) ◆ **202 infectus** unvollendet ◆ **203 -que** hier: aber | **tacitus** leise, heimlich | **murmur** →V | **venerārī** verehren, anbeten | **nūmen** (gemeint ist Latona, ebenso *dea* in 204)

◆ **204 indīgnārī** empört sein | **vertex, -icis** (m.) Gipfel, Spitze ◆ **205 geminus** →V | **prōlēs** →V ◆ **206 en ego** hier bin ich! | **parēns** ~ *mater* | **animōsa vōbīs creātīs** stolz auf euch ◆ **207 cēdere** hier: nachstehen ◆ **208 dubitor** pers. Pass.! ◆ **208 f. cultis** … ⟨*ab*⟩ **ārīs** ◆ **209 nātus** →V ◆ **210 sōlus** ⟨*est*⟩ | **dīrus** unheilvoll, schrecklich | **convīcium** Beleidigung ◆ **211 Tantalis, -idis** Tochter des Tantalus | **postpōnere** hintanstellen ◆ **212 quod** hier: was | **reccidere** < *re* + *cadere* | **orbus** kinderlos ◆ **213 exhibēre** hier: verraten | **paternus, -a, -um** < *pater*, →ENV Tantalus ◆ **214 hīs relātīs** diesem Bericht ◆ **215 f.** ordne *querella* (Jammern, Beschwerde) *longa est mora poenae* ◆ **217 contingere** hier: erreichen | **tēctus** verborgen (die Götter sind für Menschen nicht sichtbar) | **Cadmēis, -idis** (f.) thebanisch

Planus erat lateque patens prope moenia campus,
assiduis pulsatus equis, ubi turba rotarum
duraque mollierat subiectas ungula glaebas.
Pars ibi de septem genitis Amphione fortes
conscendunt in equos Tyrioque rubentia suco
terga premunt auroque graves moderantur habenas.
E quibus Ismenus, qui matri sarcina quondam
prima suae fuerat, dum certum flectit in orbem
quadripedis cursus spumantiaque ora coercet,
»Ei mihi!« conclamat medioque in pectore fixa
tela gerit frenisque manu moriente remissis
in latus a dextro paulatim defluit armo.
Proximus audito sonitu per inane pharetrae
frena dabat Sipylus, veluti cum praescius imbris
nube fugit visa pendentiaque undique rector

◆ **218 campus** (wie das Marsfeld ein Turn- und Exerzierplatz vor der Stadt – Interpretatio Romana) ◆ **219 assiduus** ununterbrochen, ständig (übers. als Adv.) | **pulsāre** zerstampfen | **rota** (Wagen-)Rad ◆ **220 mollīre subiectās glaebās** hier: die Erdschollen darunter in Staub verwandeln | **ungula** Huf ◆ **221 genitus Amphīone** ~ *filius Amphionis* ◆ **222 cōnscendere in** auf etw. steigen (Prädikat zu *pars*!) | **Tyrius** aus Tyrus | **rubēns, -ntis** rötlich (Bez. auf *terga*, gemeint sind rot gefärbte Pferdedecken) | **sūcus** hier: Purpursaft ◆ **223 moderārī habēnās** die Zügel führen, lenken ◆ **224 sarcina** Leibesfrucht, Kind | **quondam** →V ◆ **225 certum in orbem** im festgelegten Kreis (der Rennbahn) ◆ **226 quadrupēs, -pedis** (m.) »Vierfüßer«: Pferd | **spūmāre** schäumen ◆ **227 ei mihī** weh mir! ◆ **228 frēnum** Zügel | **remittere** hier: loslassen ◆ **229 paulātim** nach und nach, langsam | **dēfluere** herabsinken | **armus** Schulter (des Pferdes) ◆ **230 proximus** präd., örtl. (Sipylus steht in der Nähe der Götter) | **sonitus, -ūs** (m.) ~ *sonus* | **per ināne** durch die Luft | **pharetra** Köcher ◆ **231 frēna dare** die Zügel schießen lassen | **praescius** + Gen.: vorher wissend, ahnend ◆ **231 ff.** ordne *velutī cum* (wie wenn) *rēctor ⟨navis⟩ nūbe vīsā praescius imbris fugit* ◆ **232 f. pendentia … carbasa**

carbasa deducit, ne qua levis effluat aura:
frena tamen dantem non evitabile telum
consequitur, summaque tremens cervice sagitta
haesit, et exstabat nudum de gutture ferrum;
ille, ut erat, pronus per crura admissa iubasque
volvitur et calido tellurem sanguine foedat.
Phaedimus infelix et aviti nominis heres
Tantalus, ut solito finem imposuere labori,
transierant ad opus nitidae iuvenale palaestrae;
et iam contulerant arto luctantia nexu
pectora pectoribus, cum tento concita nervo,
sicut erant iuncti, traiecit utrumque sagitta.
Ingemuere simul, simul incurvata dolore
membra solo posuere, simul suprema iacentes
lumina versarunt, animam simul exhalarunt.

◆ **233 carbasa dēdūcere** die (an den Rahen hängenden) Segel herablassen | **effluere** verloren gehen ◆ **234 ēvītābilis** vermeidbar, entrinnbar ◆ **235 summā** ⟨*in*⟩ **cervīce** (→V) | **tremere** zittern | **sagitta** →V ◆ **236 exstāre** < *ex* + *stare* | **guttur, -uris** (n.) Gurgel, Kehle ◆ **237 prōnus** vornübergebeugt | **crūs, crūris** (n.) (Schien-)Bein | **admittere** hier: in schnellen Gang setzen | **iuba** Mähne ◆ **238 foedāre** besudeln, beflecken ◆ **239 avītus, -a, -um** < *avus* | **hērēs, -ēdis** (f.) Erbe ◆ **240 finem impōnere** ~ *finire* (*imposuēre* ~ *imposuerunt*) ◆ **241 iuvenālis, -e** < *iuvenis* | **nitidus** glänzend (Bez. auf *palaestrae* Ringplatz, -schule, aber gemeint sind die eingeölten Ringer!) ◆ **242 artus** eng | **luctārī** ringen | **nexus, -ūs** (m.) Umschlingung ◆ **242 f. cōnferre pectora pectoribus** Brust an Brust drücken ◆ **243 tentō nervō conciēre** von der gespannten Bogensehne schnellen ◆ **244 trāicere** hier: durchbohren | **sagitta** →V ◆ **245 ingemuēre** ~ *ingemuerunt* (*ingemīscere, -gemīscō, -gemuī* aufseufzen, stöhnen) | **incurvāre** krümmen, biegen ◆ **246** ⟨*in*⟩ **solo** | **posuēre** ~ *posuerunt* | **suprēma** übers. als Adverb: ein letztes Mal ◆ **247** Metrik! | **lūmen** →V | **versāre** ~ *vertere* (*versārunt* ~ *versaverunt*) | **exhālārunt** ~ *exhalaverunt* (*exhālāre* aushauchen)

Aspicit Alphenor laniataque pectora plangens
advolat, ut gelidos complexibus allevet artus,
inque pio cadit officio; nam Delius illi
intima fatifero rupit praecordia ferro.
Quod simul eductum est, pars est pulmonis in hamis
eruta cumque anima cruor est effusus in auras.
At non intonsum simplex Damasichthona vulnus
afficit: ictus erat, qua crus esse incipit et qua
mollia nervosus facit internodia poples.
Dumque manu temptat trahere exitiabile telum,
altera per iugulum pennis tenus acta sagitta est.
Expulit hanc sanguis seque eiaculatus in altum
emicat et longe terebrata prosilit aura.
Ultimus Ilioneus non profectura precando
bracchia sustulerat »Di« que »o communiter omnes«,

◆ **248 laniāre** →V | **pectora plangere** sich die Brust schlagen (Trauernde schlugen sich auf Brust und Arme, s. auch zu 279) ◆ **249 gelidus** →V | **complexus, -ūs** (m.) Umarmung | **allevāre** + Abl.: befreien aus | **artus** →V ◆ **250 cadere** ~ *mori* ◆ **251 fātifer, -a, -um** todbringend | **praecordia** Brust, Eingeweide ◆ **252 quod** ~ *ferrum* | **ēdūcere** hier: herausziehen (Alphenor lebt noch) | **et** ~ *etiam* | **pulmō, -ōnis** (m.) Lunge | **hāmus** Widerhaken ◆ **252 f.** ordne *pars pulmōnis … ēruta* ◆ **253 ēruere, ēruō, ēruī, ērutum** herausreißen | **effundere** < *ex* + *fundere* ◆ **254 intōnsus** ungeschoren, langhaarig | **nōn simplex vulnus** ~ *plura vulnera* ◆ **255 afficere** hier: verletzen, hart mitnehmen | **ictus erat, quā** ⟨*parte*⟩ der Angriff traf ihn dort, wo | **crūs, crūris** (n.) (Schien-)Bein ◆ **256 nervōsus** sehnig, muskulös | **internōdium** Raum zwischen zwei Gelenken | **poples, -itis** (m.) Kniekehle ◆ **257 trahere** ⟨*e vulnere*⟩ | **exitiābilis** verderblich, unheilvoll ◆ **258 iugulum** Kehle | **penna** →V | **tenus** + Abl.: bis zu | **agere** hier: schießen | **sagitta** →V ◆ **259 sē ēiaculārī** emporschießen | **altus, -ī** ~ *altitūdō* ◆ **260 ēmicāre** spritzen | ⟨*sanguis*⟩ **longē terebrātā prōsilit aurā** das Blut schießt in weitem Strahl durch die Luft ◆ **261 nōn prōficere** hier: nichts erreichen, erfolglos bleiben ◆ **262 bracchia** →V

dixerat ignarus non omnes esse rogandos
»Parcite!« motus erat, cum iam revocabile telum
non fuit, arcitenens; minimo tamen occidit ille
vulnere, non alte percusso corde sagitta.
Fama mali populique dolor lacrimaeque suorum
tam subitae matrem certam fecere ruinae,
mirantem potuisse irascentemque, quod ausi
hoc essent superi, quod tantum iuris haberent;
nam pater Amphion ferro per pectus adacto
finierat moriens pariter cum luce dolorem.
Heu! Quantum haec Niobe Niobe distabat ab illa,
quae modo Latois populum submoverat aris
et mediam tulerat gressus resupina per urbem
invidiosa suis; at nunc miseranda vel hosti!
Corporibus gelidis incumbit et ordine nullo
oscula dispensat natos suprema per omnes;
a quibus ad caelum liventia bracchia tollens
»Pascere, crudelis, nostro, Latona, dolore,

◆ **263 īgnārus** ⟨*sibi*⟩ **nōn omnēs** ⟨*deos*⟩ **rogandōs esse** ◆ **264 revocābilis** zurückrufbar ◆ **264 f. mōtus erat … arcitenēns** ◆ **265 arcitenēns** (*arcus, tenere*) bogenführend; Bogenschütze (gemeint ist Apoll) ◆ **266** ordne *corde nōn alte sagittā percussō* | **sagitta** →V | **percutere** →V

◆ **268 certam facere** + Gen. ~ *certiorem facere de* (*fecēre* ~ *fecerunt*) | **ruīna** hier: Unheil | **269 mīrantem** ⟨*superos hoc*⟩ **potuisse** | **īrāscī** in Zorn geraten ◆ **270 superī** →V ◆ **271 adigere, -igō, -ēgī, -āctum** stoßen ◆ **272 lūx** hier: Leben ◆ **273 heu** ach!, oh! ◆ **274 Lātōus** Adj. zu *Latona* | **submovēre** entfernen, vertreiben ◆ **275 gressūs ferre** die Schritte lenken | **resupīnus** aufrecht, stolz ◆ **276 invidiōsa** + Dat.: beneidet um | **miseranda** ⟨*est*⟩ (*miserari* →V) ◆ **277 gelidus** →V | **incumbere, -cumbō** + Abl.: sich werfen auf | **ōrdine nūllō** wahllos, ohne System ◆ **278 ōsculum** →V | **dispēnsāre** verteilen | **nātus** →V ◆ **279 līvēre** bleifarben, bläulich sein (s. zu 248) ◆ **280 pāscī** →V

pascere« ait »satiaque meo tua pectora luctu
corque ferum satia!« dixit. »Per funera septem 282
efferor: exsulta victrixque inimica triumpha!
Cur autem victrix? Miserae mihi plura supersunt,
quam tibi felici; post tot quoque funera vinco!« 285
Dixerat, et sonuit contento nervus ab arcu;
qui praeter Nioben unam conterruit omnes:
illa malo est audax. Stabant cum vestibus atris 288
ante toros fratrum demisso crine sorores;
e quibus una trahens haerentia viscere tela
imposito fratri moribunda relanguit ore; 291
altera solari miseram conata parentem
conticuit subito duplicataque vulnere caeco est. 293
Haec frustra fugiens collabitur, illa sorori 295
immoritur; latet haec, illam trepidare videres.
Sexque datis leto diversaque vulnera passis 297
ultima restabat; quam toto corpore mater,

◆ **281 satiāre** sättigen, stillen | **lūctus, -ūs** (m.) Trauer ◆ **283 efferī** hinausgetragen, begraben werden | **exsultāre** jauchzen, jubeln | **victrīx, -īcis** (f.) Siegerin | **triumphāre** < *triumphus* ◆ **285 quam** als (Vergleich)

◆ **286 contendere** ~ *tendere* | **arcus** →V ◆ **287 ūnam** präd. | **conterrēre** ~ *terrere* ◆ **288 malō** konz. ◆ **289 torus** hier: Totenbahre ◆ **290 trahere** ~ *extrahere* | ⟨*in*⟩ **vīscere** (*vīscus, -eris*, n., Körper, Fleisch) ◆ **291 moribundus** sterbend | **relanguēscere, -languēscō, -languī** erschlaffen, zusammenbrechen ◆ **292 altera** ⟨*soror*⟩ | **sōlārī** trösten | **parentem** ~ *matrem* ◆ **293 conticēscere, -ticēscō, -ticuī** verstummen | **duplicāre** zusammenfalten, sich krümmen | **caecus** unsichtbar ◆ **294** ist unecht und wird ausgelassen ◆ **295 haec, illa** (die dritte und vierte Tochter) | **collabī** zusammenbrechen ◆ **295 f. sorōrī … immorī** auf der Leiche der Schwester sterben ◆ **296 haec, illam** (die fünfte und sechste Tochter) | **latēre** hier: sich verstecken | **trepidāre** ängstlich hin und her laufen, zittern ◆ **297 sexque** ⟨*filiis*⟩ **datīs** | **lētum** →V

tota veste tegens »Unam minimamque relinque!
De multis minimam posco« clamavit »et unam.«
Dumque rogat, pro qua rogat, occidit: orba resedit
exanimes inter natos natasque virumque
deriguitque malis; nullos movet aura capillos,
in vultu color est sine sanguine, lumina maestis
stant immota genis, nihil est in imagine vivum.
Ipsa quoque interius cum duro lingua palato
congelat, et venae desistunt posse moveri;
nec flecti cervix nec bracchia reddere motus
nec pes ire potest; intra quoque viscera saxum est.
Flet tamen et validi circumdata turbine venti
in patriam rapta est: ibi fixa cacumine montis
liquitur, et lacrimas etiam nunc marmora manant.

12. Latona und die lykischen Bauern (6,317–381)

Nach der Bestrafung der hochmütigen Niobe durch Latonas Kinder erzählen sich die Bewohner Thebens auch von einem Ereignis aus der Vergangenheit der Göttin.

◆ **301** ⟨*filia*⟩, **prō quā rogat, occĭdit** | **orbus** kinderlos | **residēre, -sideō, -sēdī** zurückbleiben ◆ **302 exanimis** entseelt, tot | **nātus, nāta** →V ◆ **303 dērigēscere, -rigēscō, -riguī** völlig erstarren | **capillus** →V ◆ **304 lūmen** →V | **maestus** traurig ◆ **305 im-mōtus** ↔ *motus* (< *movere*) | **gena** →V | **imāgō** hier: Erscheinung, Gestalt ◆ **306 palātum** Gaumen ◆ **307 congelāre** gefrieren, erstarren | **vēna** →V | **movērī** hier: sich bewegen, pulsieren ◆ **308 cervīx** →V | **bracchia** →V | **reddere mōtūs** Bewegungen machen ◆ **309 vīscera, -um** (n.) Eingeweide, Bauch ◆ **310 turbō, -inis** (m.) Wirbelsturm ◆ **311 cacūmen** →V ◆ **312 līquī** in Tränen zerfließen | **marmor, -oris** (n.) Marmor, Stein | **mānāre** vergießen

E quibus unus ait: »Lyciae quoque fertilis agris
non impune deam veteres sprevere coloni.
Res obscura quidem est ignobilitate virorum,
mira tamen: vidi praesens stagnumque locumque
prodigio notum. Nam me iam grandior aevo
impatiensque viae genitor deducere lectos
iusserat inde boves gentisque illius eunti
ipse ducem dederat; cum quo dum pascua lustro,
ecce lacu medio sacrorum nigra favilla
ara vetus stabat tremulis circumdata cannis.
Restitit et pavido ›Faveas mihi!‹ murmure dixit
dux meus, et simili ›Faveas!‹ ego murmure dixi.
Naiadum Faunine foret tamen ara rogabam
indigenaene dei, cum talia rettulit hospes:
›Non hac, o iuvenis, montanum numen in ara est;
illa suam vocat hanc, cui quondam regia coniunx
orbem interdixit, quam vix erratica Delos

◆ **317 fertilis** fruchtbar ◆ **318 impūne** ungestraft | **sprevēre** ~ *spreverunt* (*spernere* →V) | **colōnus** Bauer ◆ **319 obscūrus** hier: kaum bekannt | **īgnōbilitās** niedere Herkunft, niederer Stand ◆ **320 praesēns** ~ *ipse* | **stāgnum** →V ◆ **321 ff.** ordne *genitor grandior aevō* (zu alt) *et impatiēns viae mē iusserat bovēs lēctōs inde dēdūcere* ◆ **322 impatiēns viae** unfähig, die Strapazen der Reise zu ertragen | **genitor** →V | **legere** ~ *eligere* ◆ **323** ⟨*mihi*⟩ **euntī** ◆ **324 pāscua, -ōrum** (n.) Weiden, Weideplätze | **lūstrāre** durchstreifen ◆ **325 favilla** Asche | **niger, -gra, -grum** schwarz ◆ **325 f.** ordne *āra vetus* ⟨*et*⟩ *nigra favillā sacrōrum* ◆ **326 tremulus** zitternd | **canna** Schilf ◆ **327 resistere** hier: stehen bleiben | **pavidus** < *pavor* | **favēre** gnädig sein | **murmur** →V ◆ **329 f.** ordne *tamen rogābam* ⟨*, utrum*⟩ *āra Nāiadum Faunī-ne deī indigenae-ne foret* (= *esset*) ◆ **330 indigena** (Adj. mask.) einheimisch ◆ **331 montānus** auf Bergen wohnend (wie Najaden, Faun) ◆ **332** ordne *illa* (= *Latona*) *hanc* ⟨*aram*⟩ *suam vocat* | **quondam** →V | **rēgia coniūnx** (gemeint ist Juno)

orantem accepit tum, cum levis insula nabat;
illic incumbens cum Palladis arbore palmae
edidit invita geminos Latona noverca.
Hinc quoque Iunonem fugisse puerpera fertur
inque suo portasse sinu, duo numina, natos.
Iamque Chimaeriferae, cum sol gravis ureret arva,
finibus in Lyciae longo dea fessa labore
sidereo siccata sitim collegit ab aestu,
uberaque ebiberant avidi lactantia nati.
Forte lacum mediocris aquae prospexit in imis
vallibus; agrestes illic fruticosa legebant
vimina cum iuncis gratamque paludibus ulvam;
accessit positoque genu Titania terram
pressit, ut hauriret gelidos potura liquores.

◆ **334 interdīcere** hier + Akk.: etw. verbieten, verbannen von | **errāticus** umherirrend (→ENV Delos) | **nāre** schwimmen ◆ **335 incumbere** + Dat.: sich stützen auf, lehnen an | lies: *incumbēns arbori Palladis atque palmae* | **arbor Palladis** Ölbaum | **palma** →V ◆ **336 ēdere** hier: gebären | **geminī** →V | **novercā** (Stiefmutter) **invītā**! (gemeint ist Juno) ◆ **337 puerpera** junge Mutter ◆ **338 sinū suō** an ihrer Brust, in ihren Armen | **portāsse** ~ *portavisse* | **nātus** →V ◆ **339 Chimaerifer, -a, -um** die Chimerae hervorbringend | **gravis** hier: drückend | **ūrere** →V | **arvum** →V ◆ **339 ff.** ordne *dea iam fessa longō labōre in finibus Chimaerifera Lyciae, cum …, aestū sīdereō siccāta sitim collēgit* ◆ **340 fessus** müde, erschöpft ◆ **341 aestus sīdereus** Sonnenglut | **siccāre** austrocknen | **sitim colligere** durstig werden ◆ **342 ūbera lactantia** milchspendende Brüste | **ēbibere** < *ex* + *bibere* | **nātus** →V ◆ **343 mediocris aquae** von mittlerer Wassermenge/Größe | **prōspicere** ~ *aspicere* ◆ **343 f. in īmīs … vallibus** unten im Tal ◆ **344 agrestis, -is** (m.) Bauer | **fruticōsus** buschig | **legere** ~ *colligere* ◆ **345 vīmen, -inis** (n.) Weidenrute | **iuncus** Binse | **palūs, -ūdis** (f.) Sumpf (*palūdibus grātus* gern im Sumpf wachsend) | **ulva** Schilf ◆ **346 pōnere** hier: beugen | **genū, -ūs** (n.) Knie ◆ **347 haurīre** trinken | **gelidus** →V | **liquor, -ōris** (m.) Flüssigkeit, Wasser | **pōtāre** trinken

Rustica turba vetat; dea sic affata vetantis:
'Quid prohibetis aquis? Usus communis aquarum est.
Nec solem proprium natura nec aëra fecit
nec tenues undas: ad publica munera veni;
quae tamen ut detis, supplex peto. Non ego nostros
abluere hic artus lassataque membra parabam,
sed relevare sitim. Caret os umore loquentis,
et fauces arent vixque est via vocis in illis.
Haustus aquae mihi nectar erit, vitamque fatebor
accepisse simul: vitam dederitis in unda.
Hi quoque vos moveant, qui nostro bracchia tendunt
parva sinu', et casu tendebant bracchia nati.
Quem non blanda deae potuissent verba movere?
Hi tamen orantem perstant prohibere minasque,
ni procul abscedat, conviciaque insuper addunt.
Nec satis est, ipsos etiam pedibusque manuque
turbavere lacus imoque e gurgite mollem

◆ **348 affārī, -for, -fātus sum** anreden (*affata* ⟨*est*⟩) | **vetantīs**! ◆ **349 quid** hier: warum? ◆ **350 proprium facere** jdm. als Eigentum geben ◆ **351 tenuis** →V | **pūblica mūnera** Geschenk, das allen gehört ◆ **352 quae** Bez. auf *mūnera* | **supplex** →V ◆ **353 abluere** waschen | **artus** →V | **lassātus** ermattet ◆ **relevāre sitim** den Durst stillen | **ūmor, -ōris** (m.) Feuchtigkeit | **loquentis** (gemeint ist Latona) ◆ **355 faucēs, -ium** (f.) Kehle | **ārēre** trocken, ausgetrocknet sein ◆ **356 haustus, -ūs** (m.) Schluck | **nectar, -aris** (n.) Göttertrank, Labsal ◆ **356 f.** ordne *et fatēbor* ⟨*me*⟩ *simul* ⟨*aquā*⟩ *vītam accēpisse* ◆ **357 in** hier: mit ◆ **358 hī** (gemeint sind die Kinder) | **bracchium** →V | **tendere** hier: ausstrecken ◆ **359 sinus, -ūs** (m.) Brust | **nātus** →V ◆ **360 blandus** höflich, gewinnend ◆ **361 hī** (gemeint sind die Bauern) | **perstāre** + Inf.: fortfahren zu tun | **minae, -ārum** Drohungen ◆ **361 f. minās … et convīcia addunt** (*convīcium* Beleidigung) ◆ **362 nī** ~ *nisi* | **procul abscēdere** das Weite suchen | **īnsuper** überdies, obendrein ◆ **364 turbavēre** ~ *turbaverunt* (*turbare* hier: aufwühlen, trüben) | **lacūs** poet. Pl. | **īmō ē gurgite** unten aus der Tiefe

huc illuc limum saltu movere maligno.
Distulit ira sitim; neque enim iam filia Coei 366
supplicat indignis nec dicere sustinet ultra
verba minora dea tollensque ad sidera palmas
'Aeternum stagno' dixit 'vivatis in isto!' 369
Eveniunt optata deae: iuvat esse sub undis
et modo tota cava submergere membra palude,
nunc proferre caput, summo modo gurgite nare, 372
saepe super ripam stagni consistere, saepe
in gelidos resilire lacus, sed nunc quoque turpes
litibus exercent linguas pulsoque pudore, 375
quamvis sint sub aqua, sub aqua maledicere temptant.
Vox quoque iam rauca est, inflataque colla tumescunt,
ipsaque dilatant patulos convicia rictus; 378
terga caput tangunt, colla intercepta videntur,
spina viret, venter, pars maxima corporis, albet,
limosoque novae saliunt in gurgite ranae.‹« 381

◆ **365 hūc illūc** hin und her | **līmus** Schlamm | **saltus, -ūs** (m.) Sprung, Herumspringen | **movēre** ~ *moverunt* | **malīgnus** böswillig ◆ **366 differre** hier: verdrängen ◆ **367 supplicāre** + Dat.: demütig bitten ◆ **368 verba minōra deā** Worte, die einer Göttin nicht würdig sind | **sīdus** →V | **palma** →V ◆ **369 aeternum** hier Adv. | **stāgnum** →V ◆ **370 ēvenīre** hier: Wirklichkeit werden | **iuvat** ⟨*agricolas*⟩ ◆ **371** ⟨*in*⟩ **cavā palūde** in der Tiefe des Sumpfes | **submergere, -mergō** eintauchen, versenken ◆ **372 gurges** →V | **nāre** schwimmen ◆ **373 stāgnum** →V ◆ **374 gelidus** →V | **resilīre** zurückspringen | **lacūs**! ◆ **375 līs, lītis** (f.) Streit, Zank | **pulsō pudōre** ~ *sine pudore* ◆ **376 quamvīs** →V | **maledīcere** schimpfen ◆ **377 raucus** rau, heiser | **īnflāre** aufblasen, -blähen | **collum** →V | **tumēscere, -mēscō** anschwellen ◆ **378 dīlātāre** verbreitern, dehnen | **patulus** offen(stehend) | **convīcium** Beleidigung | **rictus, -ūs** (m.) (aufgesperrter) Mund, Rachen ◆ **379 colla intercepta videntur** die Hälse scheinen zu fehlen ◆ **380 spīna** Rücken | **virēre** grün sein | **albēre** weiß sein ◆ **381 līmōsus** schlammig | **salīre** springen | **gurges** →V | **rāna** Frosch

13. Theseus und der Minotaurus (8,159–182)

Pasiphaë von Kreta hatte, von einem Stier geschwängert, ein Ungeheuer geboren, halb Mensch, halb Stier. König Minos lässt diese Minotaurus in dem von Daedalus erbauten Labyrinth verbergen, wo er von Menschenfleisch ernährt wird.

Daedalus ingenio fabrae celeberrimus artis
ponit opus turbatque notas et lumina flexu
ducit in errorem variarum ambage viarum.
Non secus ac liquidus Phrygiis Maeandrus in arvis
ludit et ambiguo lapsu refluitque fluitque
occurrensque sibi venturas aspicit undas
et nunc ad fontes, nunc ad mare versus apertum
incertas exercet aquas: ita Daedalus implet
innumeras errore vias vixque ipse reverti
ad limen potuit: tanta est fallacia tecti.
Quo postquam geminam tauri iuvenisque figuram
clausit, et Actaeo bis pastum sanguine monstrum
tertia sors annis domuit repetita novenis,

◆ **159 fabra ars** Baukunst ◆ **160 pōnere** hier: erstellen | **opus** hier: das Labyrinth | **nōta** hier: Orientierungszeichen | **lūmen** →V ◆ **160 f. flexum** im Dt. besser Bezug auf *viārum* ◆ **161 in errōrem dūcere** in die Irre führen | **ambāgēs, -is** (f.) Irrgang (im Labyrinth) ◆ **162 nōn secus ac** nicht anders als | **Phrygius** Adj. zu *Phrygia* | **arvum** →V ◆ **163 ambiguus** unentschlossen, veränderlich | **lāpsus** hier: Lauf ◆ **166 incertus** hier: unstet | **exercēre** hier: lenken ◆ **167 in-numerus, -a, -um** zahllos ◆ **168 līmen, -inis** (n.) Schwelle, Eingang | **fallācia** Täuschung, Trug

◆ **169 quō** (gemeint: im Labyrinth) | **geminus** →V | **taurus** →V ◆ **170 claudere** ~ *includere* | **Actaeus** athenisch | **pāscī** →V ◆ **171 sors tertia repetīta** »die zum dritten Mal wiederholte Auslosung der Opfer«: die dritten Opfer (u. a. Theseus) | **annīs novēnīs** ~ *nono quoque anno*

utque ope virginea nullis iterata priorum
ianua difficilis filo est inventa relecto,
protinus Aegides rapta Minoide Diam
vela dedit comitemque suam crudelis in illo
litore destituit; desertae et multa querenti
amplexus et opem Liber tulit; utque perenni
sidere clara foret, sumptam de fronte coronam
immisit caelo: tenues volat illa per auras
dumque volat, gemmae nitidos vertuntur in ignes
consistuntque loco specie remanente coronae,
qui medius Nixique genu est Anguemque tenentis.

14. Daedalus und Ikarus (8,183–235)

Nach dem Mord an seinem Neffen Perdix ist der Erfinder Daedalus gezwungen, aus seiner Heimat Athen zu fliehen. Im Exil auf Kreta werden seine Fähigkeiten vom König sehr geschätzt, aber glücklich wird er dort nicht.

Daedalus interea Creten longumque perosus
exilium tactusque loci natalis amore

◆ **172 ops, opis** (f.) Hilfe | **virgineā** ~ *Ariadnae virginis* | **iterāre** wieder erreichen ◆ **172 f.** ordne *iānua difficilis nūllīs priōrum iterāta inventa est filō relēctō* ◆ **173 iānua** Tür, Eingang | **difficilis** schwer auffindbar | **filum** Faden | **relegere, -legō, -lēgī, -lēctum** wieder aufwickeln ◆ **174 prōtinus** sofort | **174 f. Dīam … vēla dare** Segel setzen in Richtung Naxos ◆ **176 dēstituere** zurücklassen ◆ **177 amplexūs et opem ferre** Schutz und Hilfe bringen | **perennis** ewig sichtbar ◆ **178 sīdus** →V | **foret** ~ *esset* | **dē** ⟨*Ariadnae*⟩ **fronte** ◆ **179 immittere** + Abl.: versetzen an | **tenuis** →V ◆ **180 gemma** Edelstein | **nitidus** glänzend | **vertere** hier: verwandeln ◆ **181 f. locō …, quī medius est** ◆ **182 Nīxus genū** der Kniende, **Anguem tenēns** der Schlangenhalter, beides Sternbilder

◆ **183 perōsus** hassend ◆ **184 natālis** Geburts-

clausus erat pelago. »Terras licet« inquit »et undas
obstruat: et caelum certe patet; ibimus illac:
Omnia possideat, non possidet aëra Minos.«
Dixit et ignotas animum dimittit in artes
naturamque novat. Nam ponit in ordine pennas
a minima coeptas, longam breviore sequenti,
ut clivo crevisse putes: sic rustica quondam
fistula disparibus paulatim surgit avenis;
tum lino medias et ceris alligat imas
atque ita compositas parvo curvamine flectit,
ut veras imitetur aves. Puer Icarus una
stabat et, ignarus sua se tractare pericla,
ore renidenti modo, quas vaga moverat aura,
captabat plumas, flavam modo pollice ceram
mollibat lusuque suo mirabile patris
impediebat opus. Postquam manus ultima coepto
imposita est, geminas opifex libravit in alas
ipse suum corpus motaque pependit in aura;

◆ **185 pelagus, -ī** (n.) Meer | **licet** (+ Konj.) hier konz.: mag er auch ◆ **186 obstruere** versperren, verschließen | **et** ~ *tamen* | **illāc** auf jenem Weg ◆ **188 ignōtus** unvertraut, fremd | **dīmittere in** richten auf ◆ **189 novāre** < *novus* | **penna** → V ◆ **190 ā minimā** ⟨*pennā*⟩, **longam** ⟨*pennam*⟩ **breviōre** ⟨*pennā*⟩ **sequentī** ◆ **191 clīvus** Abhang ◆ **191 f. rūstica … fistula** Hirten-, Panflöte (aus unterschiedlich langen Rohren hergestellt) ◆ **192 dispār** ungleich | **avēna** Halm, Rohr ◆ **193 līnum** Faden, Schnur | **mediās, īmās** ⟨*pennas*⟩ | **cēra** → V | **alligāre** an-, festbinden ◆ **194 compositās** ⟨*pennas*⟩ | **curvāmen, -inis** (n.) Krümmung ◆ **196 tractāre** berühren, spielen mit | **perīcla** ~ *pericula* ◆ **197 renīdēre** vor Freude strahlen, lachen | **quās** Bez. auf *plumās* | **vagus** unstet, flüchtig ◆ **198 flāvus** → V | **pollex, -icis** (m.) Daumen | **cēra** → V ◆ **199 mollīre** → V | **lūsus, -ūs** (m.) ~ *lūdus* ◆ **200 manum ultimam impōnere** letzte Hand anlegen | **coeptum** Vorhaben, Unternehmen ◆ **201 geminus** → V | **opifex, -icis** (m.) < *opus* + *facere* | **corpus lībrāre in** das Körpergewicht gleichmäßig verteilen auf | **āla** → V ◆ **202 pendēre** → V

instruit et natum »Medio« que »ut limite curras,
Icare«, ait »moneo, ne, si demissior ibis,
unda gravet pennas, si celsior, ignis adurat:
inter utrumque vola! Nec te spectare Booten
aut Helicen iubeo strictumque Orionis ensem:
me duce carpe viam!« Pariter praecepta volandi
tradit et ignotas umeris accommodat alas.
Inter ŏpus monitusque genae maduere seniles,
et patriae tremuere manus; dedit oscula nato
non iterum repetenda suo pennisque levatus
ante volat comitique timet, velut ales, ab alto
quae teneram prolem produxit in aëra nido,
hortaturque sequi damnosasque erudit artes
et movet ipse suas et nati respicit alas.
Hos aliquis tremula dum captat harundine pisces,
aut pastor baculo stivave innixus arator

◆ **203 f.** ordne *moneō, ut mediō līmite currās* ◆ **204 dēmissus** niedrig, tief ◆ **205 gravāre** beschweren, schwer machen | **penna** →V | **celsus** hoch | **adūrere** anzünden, entflammen ◆ **207 ēnsem stringere, stringō, strīnxī, strictum** Schwert ziehen ◆ **208 carpere** →V | **praeceptum, -ī** (n.) < *praecipere* ◆ **209 īgnōtus** unvertraut, fremd | **umerus** Schulter | **accomodāre** anlegen, anpassen | **āla** →V ◆ **210 monitus, -ūs** (m.) < *monēre* | **gena** →V | **maduēre** ~ *maduerunt* (*madēscere, madēscō, maduī* nass werden) | **senīlis, -e** < *senex* ◆ **211 tremuēre** ~ *tremuerunt* (*tremere, tremō, tremuī* zittern) | **ōsculum** →V ◆ **212 nōn repetenda** die sich nicht wiederholen sollten | **penna** →V | **levāre** →V ◆ **213 ante** (Adv.) voraus | **timēre** hier: besorgt sein um | **āles, -itis** (f.) Vogel ◆ **213 f.** ordne *velut ālēs, quae ab altō nīdō teneram prōlem prōdūxit* ◆ **214 tener** →V | **prōlēs** →V | **prōdūxit** übers. mit Präs. | **nīdus** Nest ◆ **215 damnōsus** schadenbringend, verhängnisvoll | **ērudīre** unterweisen in ◆ **216 ālās** Bez. auf *suās, nāti* (*āla* →V) ◆ **217 f. aliquis, pāstor, arātor** Subjekte zu *vidit* | **tremulus** zitternd, bebend | **harundō** →V ◆ **218 pāstor** →V | **baculum** Stock, Hirtenstab | **stīva** Führungsgriff am Pflug | **innīxus** gestützt auf | **arātor, -ōris** (m.) Bauer (beim Pflügen)

vidit et obstipuit, quique aethera carpere possent,
credidit esse deos. Et iam Iunonia laeva
parte Samos (fuerant Delosque Parosque relictae)
dextra Lebinthos erat fecundaque melle Calymne,
cum puer audaci coepit gaudere volatu
deseruitque ducem caelique cupidine tractus
altius egit iter. Rapidi vicinia solis
mollit odoratas, pennarum vincula, ceras;
tabuerant cerae: nudos quatit ille lacertos,
remigioque carens non ullas percipit auras,
oraque caerulea patrium clamantia nomen
excipiuntur aqua, quae nomen traxit ab illo.
At pater infelix, nec iam pater, »Icare«, dixit,
»Icare«, dixit »ubi es? Qua te regione requiram?«
»Icare« dicebat: pennas aspexit in undis
devovitque suas artes corpusque sepulcro
condidit, et tellus a nomine dicta sepulti.

◆ 219 **obstipēscere, -stipēscō, -stipuī** staunen über | ⟨*eōs*⟩, **quī** | **aethera carpere** die Luft durchmessen ◆ 220 **Iūnōnius** der Juno geweiht | **laevā parte** links, auf der linken Seite | **Sāmos** ⟨*erat*⟩ ◆ 222 **dextrā** ⟨*parte*⟩ | **fēcundus melle** reich an Honig ◆ 223 **volātus, -ūs** (m.) < *volare* ◆ 224 **tractus** ergriffen von | **iter agere** einen Weg nehmen | **rapidus** glühend, versengend | **vīcīnia** Nähe ◆ 226 **mollīre** →V | **odōrātus** wohlriechend, duftend | **penna** →V | **cēra** →V ◆ 227 **tābēscere, tābēscō, tābuī** schmelzen, zergehen | **quatere, quatiō** schütteln, schwingen | **lacertus** →V ◆ 228 **rēmigium** hier: Flügel | **percipere** ~ *capere* ◆ 229 f. ordne *ōra nōmen patrium clāmantia* | **ōra** poet. Pl. (gemeint ist Ikarus) | **caeruleus** blau | **patrius, -a, -um** < *pater* ◆ 230 **trahere** hier: annehmen ◆ 232 f. **dīxit, dīcēbat**: Tempus! | **penna** →V ◆ 234 **dēvovēre, -voveō, -vōvī** verfluchen, verwünschen ◆ 235 **tellūs** hier: die Insel Ikaria | **dīcī ā** benannt werden nach (*dicta* ⟨*est*⟩)

15. Philemon und Baucis (8,624–724)

In geselliger Runde erzählt der betagte Lelex folgende Geschichte von einem armen, aber gottesfürchtigen Ehepaar in Phrygien.

»Haud procul hinc stagnum est, tellus habitabilis olim,
nunc celebres mergis fulicisque palustribus undae;
Iuppiter huc specie mortali cumque parente
venit Atlantiades positis caducifer alis.
Mille domos adiere locum requiemque petentes,
mille domos clausere serae; tamen una recepit,
parva quidem, stipulis et canna tecta palustri,
sed pia Baucis anus parilique aetate Philemon
illa sunt annis iuncti iuvenalibus, illa
consenuere casa paupertatemque fatendo
effecere levem nec iniqua mente ferendo;
nec refert, dominos illic famulosne requiras:
tota domus duo sunt, idem parentque iubentque.

◆ **624 stāgnum** →V | **habitābilis** bewohnbar ◆ **625** Ellipse! | **celeber** hier: belebt von | **mergus** Taucher (Wasservogel) | **fulica** Wasserhuhn | **palūster, -tris, -tre** im Sumpf lebend ◆ **626 Iuppiter hūc** ⟨*venit*⟩ ◆ **627 pōnere** ~ *deponere* | **cādūcifer, -a, -um** den Heroldsstab tragend | **āla** →V ◆ **628 adiēre** ~ *adierunt* | **locum requiemque** Unterkunft für die Nacht ◆ **629 clausēre** ~ *clausērunt* | **sera** (Riegel der) Tür | **ūna** ⟨*domus deos*⟩ **recēpit** ◆ **630 stipula** Strohhalm | **canna palūstris** Sumpfrohr ◆ **631 anus, -ūs** (f.) alte Frau | **parilis** ~ *par* ◆ **632 illā** ⟨*casa*⟩ | **iungī** heiraten | **iuvenālis** jung ◆ **633 consenuēre** ~ *consenuerunt* (*cōnsenēscere, -senēscō, -senuī* zusammen alt werden) | **fatērī** hier: zu etw. stehen, offen zugeben ◆ **633 f.** ordne *paupertātem levem effēcēre* ⟨*eam*⟩ *fatēndō nec iniquā mente ferendō* ◆ **634 effecēre** ~ *effecerunt* | **nec inīquā mente** ~ *aequo animo* ◆ **635 nec refert,** ⟨*utrum*⟩ es ist gleichgültig, ob | **famulus** Sklave ◆ **636 domus** hier: Hausgemeinschaft

Ergo ubi caelicolae parvos tetigere penates
summissoque humiles intrarunt vertice postes,
membra senex posito iussit relevare sedili;
quo superiniecit textum rude sedula Baucis,
inque foco tepidum cinerem dimovit et ignes
suscitat hesternos foliisque et cortice sicco
nutrit et ad flammas anima producit anili
multifidasque faces ramaliaque arida tecto
detulit et minuit parvoque admovit aeno,
quodque suus coniunx riguo collegerat horto,
truncat holus foliis; furca levat ille bicorni
sordida terga suis nigro pendentia tigno
servatoque diu resecat de tergore partem
exiguam sectamque domat ferventibus undis.

◆ **637 caelicola** (m.) Himmelsbewohner | **tetigēre** ~ *tetigerunt* (*tangere* hier: betreten, erreichen) ◆ **638 summittere** senken | **vertex, -icis** (m.) Scheitel, Kopf | **postis, -is** (m.) Türpfosten, Pl.: Tür ◆ **639 membra relevāre** sich ausruhen | **sedīle, -is** (n.) Sitz, Stuhl ◆ **640 quō** ⟨*sedīlī*⟩ | **superinicere** darüberwerfen | **textum** Gewebe, Tuch | **rudis** grob gewebt | **sēdulus** emsig, geschäftig ◆ **641 focus** Herd | **tepidus** lauwarm, erkaltend | **cinis, -eris** (m.) Asche | **dīmovēre** wegschieben ◆ **642 suscitāre** aufrütteln, anfachen | **hesternus** gestrig, vom Vortag | **folium** Blatt, Pl.: Laub | **cortex, -icis** (m.) Rinde | **siccus** trocken ◆ **643 nūtrīre** nähren | **ad flammās prōdūcere** zum Aufflammen bringen | **anima** ~ *spiritus* | **anīlis** greisenhaft ◆ **644 multifida fax** gespaltenes Brennholz | **rāmālia, -ium** (n.) Reisig | **āridus** trocken, dürr | ⟨*de*⟩ **tēctō** (hier: Dachboden) ◆ **645 minuere** hier: zerkleinern | **admovēre** + Dat.: unter … legen | **aēnum** eherner Kessel ◆ **646 riguus** bewässert | ordne *holus, quod coniūnx … collēgerat, foliīs truncat* ◆ **647 holus, -eris** (n.) Kohl | **foliīs truncāre** entblättern | **furca** Gabel, Spieß | **levāre** →V | **ille** (gemeint ist Philemon) | **bicornis** zweizinkig ◆ **648 sordida terga suis** geräucherter Schweinerücken | **niger, -gra, -grum** schwarz (von Rauch), rußig | **tīgnum** Holzbalken ◆ **649 servāre** hier: aufsparen | **resecāre** herunterschneiden | **tergus, -oris** (n.) Rückenstück, Schinken ◆ **650 sectam** ⟨*partem*⟩ Scheibe, Stück | **domāre** hier: weich kochen | **fervēre** sieden, brodeln

Interea medias fallunt sermonibus horas
sentirique moram prohibent. Erat alveus illic
fagineus, dura clavo suspensus ab ansa:
is tepidis impletur aquis artusque fovendos
accipit. In medio torus est de mollibus ulvis
impositus tecto sponda pedibusque salignis.
Vestibus hunc velant, quas non nisi tempore festo
sternere consuerant, sed et haec vilisque vetusque
vestis erat, lecto non indignanda saligno.
Accubuere dei. Mensam succincta tremensque
ponit anus, mensae sed erat pes tertius impar:
testa parem fecit; quae postquam subdita clivum
sustulit, aequatam mentae tersere virentes.
Ponitur hic bicolor sincerae baca Minervae
conditaque in liquida corna autumnalia faece

◆ **651 mediae hōrae** Zwischenzeit | **fallere** hier: vertreiben ◆ **652 alveus** Kübel ◆ **653 fāgineus** aus Buchenholz | **dūrus** hier: stabil | **clāvus** Nagel, Pflock | **suspendere** aufhängen | **ānsa** Henkel ◆ **654 implēre** ~ *complere* | **tepidus** lauwarm, erkaltend | **artus** →V | **fovēre** wärmen ◆ **655 torus** →V | **ulva** Schilf ◆ **655 f.** ordne *in mediō tēctō est torus dē mollibus ulvīs spondā impositus* ◆ **656 sponda** Gestell | **salīgnus** aus Weidenholz ◆ **657 vestis** hier: Decke, Tuch | **tempus fēstum** Festtag ◆ **658 cōnsuērant** ~ *consueverant* | **et** ~ *etiam* | **vīlis** billig, ärmlich ◆ **659 nōn** ⟨*erat*⟩ **indīgnanda** Unwillen erregend (Bett und Decke waren gleichermaßen abgenutzt) ◆ **660 accubuēre** ~ *accubuerunt* (*accumbere, -cumbō, -cubuī* sich zu Tisch legen) | **succinctus** aufgeschürzt | **tremere, tremō** zittern ◆ **661 pōnere** hier: auf-, hinstellen | **impār** ↔ *par* ◆ **662 testa** Scherbe | **subdere** unterlegen | **clīvus** Neigung, Schräge ◆ **663 aequāre** hier: gerade stellen | **menta** Minze (in heißem Wasser eingeweicht ein Reinigungsmittel), als Subj. besser: Baucis | **tersēre** ~ *terserunt* (*tergere, tergō, tersī* abwischen) | **virēre** grün sein ◆ **664 bicolor bāca** »zweifarbige Beere«: Olive | **sincērus** jungfräulich ◆ **665 condītus** hier: eingelegt | **liquida faex** (*faex, faecis*, f., Hefe) vergorener Saft | **cornum** Kornelkirsche | **autumnālis, -e** < *autumnus*

intibaque et radix et lactis massa coacti
ovaque non acri leviter versata favilla,
omnia fictilibus. Post haec caelatus eodem
sistitur argento crater fabricataque fago
pocula, qua cava sunt, flaventibus illita ceris;
parva mora est, epulasque foci misere calentes,
nec longae rursus referuntur vina senectae
dantque locum mensis paulum seducta secundis:
hic nux, hic mixta est rugosis carica palmis
prunaque et in patulis redolentia mala canistris
et de purpureis collectae vitibus uvae,
candidus in medio favus est; super omnia vultus
accessere boni nec iners pauperque voluntas.
Interea totiens haustum cratera repleri

◆ **666 intibum** Endivie | **rādīx** Rettich | **māssa lactis coāctī** (*lac, lactis,* n., Milch) Käse ◆ **667 nōn ācris favilla** schwache Glut | **versārī** wenden ◆ **668 fictile, -is** (n.) Tongefäß | **caelātus** mit Reliefarbeit verziert | **eōdem argentō** aus demselben Silber (wie die Gefäße – ein Scherz!) ◆ **669 sistere** hier: hinstellen | **crātēr, -ēris** (m.) Mischkrug | **fabricāre** < *faber* | **fāgus, -ī** (f.) Buchenholz ◆ **670 pōculum** Becher | **cavus** ausgehöhlt | **flavēre** goldgelb sein | **illinere, -linō, -lēvī, -litum** bestreichen | **cēra** →V ◆ **671 epulae, -ārum** Mahl, Speisen | **focus** Herd | **misēre!** | **calēns** ~ *calidus* ◆ **672 referre** hier: abtragen | **longa senecta** hohes Alter ◆ **673 locum dare** Platz machen | **mēnsa secunda** Nachtisch | **sēdūcere** beiseite stellen (*sēducta* Bez. auf *vīna*) ◆ **674 nux, nucis** (f.) Nuss | **rūgōsus** runzlig | **cārica** ⟨*ficus*⟩ karische Feige | **palma** →V ◆ **675 prūnum** Pflaume | **patulus** offen, breit | **redolēre** duften | **mālum** Apfel | **canistrum** Schilfkörbchen ◆ **676 purpureus** purpurn | **vītis, -is** (f.) Weinrebe | **ūva** Traube ◆ **677 candidus** →V | **favus** Honigwabe | **super omnia** überdies ◆ **678 accessēre** ~ *accesserunt* | **iners** träge, verdrossen | **pauper** hier: dürftig, mäßig

◆ **679 totiēns** so oft | ⟨*ex*⟩**haurīre** ausschöpfen | **crātēr, -ēris** (m.) Mischkrug | **replērī** sich wieder füllen ◆ **679 f.** ordne *vident crātēra* (Akk. Sg.) *totiēns haustum sponte suā replērī*

sponte sua per seque vident succrescere vina:
attoniti novitate pavent manibusque supinis
concipiunt Baucisque preces timidusque Philemon
et veniam dapibus nullisque paratibus orant.
Unicus anser erat, minimae custodia villae:
quem dis hospitibus domini mactare parabant;
ille celer penna tardos aetate fatigat
eluditque diu tandemque est visus ad ipsos
confugisse deos: superi vetuere necari
›Di‹ que ›sumus, meritasque luet vicinia poenas
impia‹ dixerunt; ›Vobis immunibus huius
esse mali dabitur; modo vestra relinquite tecta
ac nostros comitate gradus et in ardua montis
ite simul!‹ Parent ambo baculisque levati
nituntur longo vestigia ponere clivo.
Tantum aberant summo, quantum semel ire sagitta
missa potest: flexere oculos et mersa palude

◆ **680 succrēscere** sich erneuern ◆ **681 attonitus** wie vom Donner gerührt, verblüfft | **pavēre** ~ *timere* | **supīnus** nach oben gekehrt (zum Beten) ◆ **682 concipere** hier: aussprechen | **timidus** →V ◆ **683 daps, dapis** (f.) Speise | **parātus** ~ *apparatus, -ūs* (m.) Aufwand, Prunk ◆ **684 ānser** ⟨*eis*⟩ **erat** (*ānser, -eris,* m., Gans) ◆ **685 dominī** (gemeint sind Philemon und Baucis) | **mactāre** schlachten ◆ **686 ille** ⟨*anser*⟩ **celer pennā**! (*penna* →V) ◆ **687 ēlūdere** ausweichen, entkommen ◆ **688 cōnfugere** sich flüchten | **superī** →V | **vetuēre** ~ *vetuērunt* (*vetuēre* ⟨*anserem*⟩ *necārī*) ◆ **689 poenās luere, luō** Strafe erleiden | **vīcīnia** ~ *vicini* ◆ **690 immūnis** + Gen.: verschont von ◆ **690 f.** ordne *vōbīs huius malī immūnibus esse dabitur* ◆ **692 comitāre** ~ *comitari* | **arduum** steile Anhöhe, Gipfel (poet. Pl.) ◆ **693 ambō** →V | **baculum** Stock | **levāre** hier: sich stützen ◆ **694 vestīgia pōnere** hier: erklimmen | **clīvus** Hügel, Anhöhe ◆ **695 summō** ⟨*clivo*⟩ | **semel** einmal | **īre** hier: fliegen | **sagitta** →V ◆ **696 mittere** hier: schießen | **flexēre** ~ *flexerunt* (*flectere oculōs* sich umsehen) | **mersus** versunken | **palūs, -ūdis** (f.) Sumpf ◆ **696 f.** ordne *prōspiciunt cētera mersa* ⟨*esse in*⟩ *palūde*

cetera prospiciunt, tantum sua tecta manere.
Dumque ea mirantur, dum deflent fata suorum,
illa vetus dominis etiam casa parva duobus 699
vertitur in templum: furcas subiere columnae,
stramina flavescunt aurataque tecta videntur
caelataeque fores adopertaque marmore tellus. 702
Talia tum placido Saturnius edidit ore:
›Dicite, iuste senex et femina coniuge iusto
digna, quid optetis.‹ Cum Baucide pauca locutus 705
iudicium superis aperit commune Philemon:
Esse sacerdotes delubraque vestra tueri
poscimus, et quoniam concordes egimus annos, 708
auferat hora duos eadem, nec coniugis umquam
busta meae videam, neu sim tumulandus ab illa.‹
Vota fides sequitur: templi tutela fuere, 711
donec vita data est; annis aevoque soluti
ante gradus sacros cum starent forte locique
narrarent casus, frondere Philemona Baucis, 714
Baucida conspexit senior frondere Philemon.

◆ **697 prōspicere** in der Ferne erblicken ◆ **698 dēflēre** beweinen | **suōrum** ⟨*vicinorum*⟩ ◆ **699 f.** ordne *illa vetus casa, parva etiam duōbus dominīs* ◆ **700 vertere** hier: verwandeln | **furca** Stützpfeiler | **subiēre** ~ *subierunt* (*subire* ersetzen) | **columna** Säule ◆ **701 strāmen, -inis** (n.) Stroh | **flāvēscere, -vēscō** goldgelb werden | **aurātus** vergoldet ◆ **702 caelātus** mit Reliefarbeiten verziert | **foris, -is** (f.) Türflügel, Pl.: Tür | **adoperīre** verhüllen, überziehen mit | **marmor, -oris** (n.) Marmor ◆ **703 placidus** ruhig | **ōre ēdere** sagen ◆ **706 iūdicium** hier: Beschluss | **superī** → V | **aperīre** hier: eröffnen, mitteilen ◆ **707 dēlūbrum** Heiligtum ◆ **708 concors, -cordis** in Eintracht | **annōs agere** Jahre verbringen ◆ **709 auferre** hier: hinwegnehmen | ⟨*nos*⟩ **duōs** ◆ **710 bustum** Grabmal (poet. Pl.) | **neu** und auch nicht | **tumulāre** ~ *sepelire* ◆ **711 fidēs** hier: Erfüllung | **tūtēla** Aufsicht | **fuēre** ~ *fuerunt* ◆ **712** ⟨*eis*⟩ **data est** | **annīs aevōque solūtus** durch die Last der Jahre entkräftet ◆ **714 cāsus** hier: Schicksal, Geschichte | **frondēre** sich belauben | **senior** ~ *senex*

Iamque super geminos crescente cacumine vultus
mutua, dum licuit, reddebant dicta ›Vale‹ que
›O coniunx‹ dixere simul, simul abdita texit
ora frutex: ostendit adhuc Thyneius illic
incola de gemino vicinos corpore truncos.
Haec mihi non vani (neque erat, cur fallere vellent)
narravere senes; equidem pendentia vidi
serta super ramos ponensque recentia dixi
›Cura deum di sint, et, qui coluere, colantur.‹«

16. Orpheus und Eurydike (10,1–77)

Der Hochzeitsgott Hymenaeus eilt von der Hochzeit des Iphis und der Ianthe nach Thrakien zu Orpheus und Eurydike.

Inde per immensum croceo velatus amictu
aethera digreditur Ciconumque Hymenaeus ad oras
tendit et Orphea nequiquam voce vocatur.

◆ **716 geminus** →V | **cacūmen** →V | ◆ **717 mūtua dicta reddere** Worte wechseln ◆ **718 dīxēre** ~ *dixerunt* | **abdere, -dō, -didī, -ditum** verbergen ◆ **718 f. abdita tēxit ōra** ~ *ora texit et abdidit* ◆ **719 frutex, -icis** (m.) frische Triebe | **719 f. Thȳnēïus incola** Mann aus Thynien ◆ **720 geminus** →V | **truncus** Baumstamm ◆ **721 haec** ~ *hanc fabulam* | **mihī** (gemeint ist: dem Erzähler Lelex) | **nōn vānus** glaubwürdig ◆ **722 narrāvēre** ~ *narraverunt* ◆ **722 f.** ordne *serta super rāmōs pendentia vīdī* ◆ **723 serta, -ōrum** Kranz | **rāmus** →V | **recentia** ⟨*serta*⟩ ◆ **724 cūra de⟨or⟩um** diejenigen, die für die Götter sorgen | **et** ⟨*ii*⟩, **quī** ⟨*deos*⟩ **coluēre** (~ *coluerunt*)

◆ **1 immēnsus** unermesslich, riesig | **croceus** orangerot, safrangelb | **vēlāre** verhüllen | **amictus, -ūs** (m.) Umhang, Gewand ◆ **1 f.** ordne *Inde Hymenaeus croceō amictū vēlātus per immēnsum aethera dīgreditur* ◆ **2 aethēr** →V | **dīgredī** weggehen ◆ **3 tendere** ~ *contendere* | **Orphēus** Adj. zu *Orpheus* | **nēquīquam** ~ *frustra*

Affuit ille quidem, sed nec sollemnia verba
nec laetos vultus nec felix attulit omen.
Fax quoque, quam tenuit, lacrimoso stridula fumo
usque fuit nullosque invenit motibus ignes.
Exitus auspicio gravior: nam nupta per herbas
dum nova naiadum turba comitata vagatur,
occidit in talum serpentis dente recepto.
Quam satis ad superas postquam Rhodopeius auras
deflevit vates, ne non temptaret et umbras,
ad Styga Taenaria est ausus descendere porta
perque leves populos simulacraque functa sepulcro
Persephonen adiit inamoenaque regna tenentem
umbrarum dominum pulsisque ad carmina nervis
sic ait: »O positi sub terra numina mundi,
in quem reccidimus, quicquid mortale creamur,
si licet et falsi positis ambagibus oris
vera loqui sinitis, non huc, ut opaca viderem

◆ **4 sollemnis** feierlich, festlich | **verba** hier: Gesänge ◆ **6 fax** →V (Fackeln waren Teil antiker Hochzeitszeremonien) | **lacrimōsus fūmus** beißender Rauch | **strīdulus** zischend, knisternd ◆ **7 mōtibus** hier konz.: trotz des Schwingens ◆ **8 gravior** ⟨*erat*⟩ ◆ **8 f. nūpta … nova** die Neuvermählte ◆ **9 comitārī** < *comes, -itis* | **vagārī** umherstreifen ◆ **10 tālus** Knöchel, Ferse ◆ **10 f.** ordne *dente serpentis in tālum receptō* ◆ **11 ad superās aurās** auf der Oberwelt | **Rhodopēïus vātēs** Sänger vom Rhodopegebirge: Orpheus ◆ **12 dēflēre, -fleō, -flēvi** beweinen | **vātēs, -is** (m.) Seher, Sänger | **temptāre** hier: unversucht lassen | **et** ~ *etiam* | **umbrae** hier: Reich der Schatten, Unterwelt ◆ **13 Taenaria porta** taenarische Pforte, Eingang zur Unterwelt ◆ **14 levis** hier: körperlos | **sepulcrō fungī** begraben werden ◆ **15 inamoenus** reizlos, unerfreulich ◆ **16 nervōs pellere** die Saiten schlagen ◆ **17 mundī sub terrā positī** im Dt. ein Wort ◆ **18 rec(c)idere** < *re + cadere* | **quicquid mortāle creāmur** (Akk. Graecus) ~ *omnes, qui mortales creamur* ◆ **19 ambāgēs, -um** (f.) Umschweife, Ausflüchte | **positīs ambāgibus** ~ *sine ambagibus* ◆ **20 opācus** schattig, finster

Tartara, descendi, nec uti villosa colubris
terna Medusaei vincirem guttura monstri:
causa viae est coniunx, in quam calcata venenum
vipera diffudit crescentesque abstulit annos.
Posse pati volui nec me temptasse negabo:
vicit Amor. Supera deus hic bene notus in ora est;
an sit et hic, dubito: sed et hic tamen auguror esse,
famaque si veteris non est mentita rapinae,
vos quoque iunxit Amor. Per ego haec loca plena timoris,
per Chaos hoc ingens vastique silentia regni,
Eurydices, oro, properata retexite fata.
Omnia debemur vobis, paulumque morati
serius aut citius sedem properamus ad unam.
Tendimus huc omnes, haec est domus ultima, vosque
humani generis longissima regna tenetis.
Haec quoque, cum iustos matura peregerit annos,

◆ **21 Tartara, -ōrum** (n.) die Unterwelt | **utī** ~ *ut* | **villōsa colubrīs** schlangenumringelt (*villōsus* zottig und *coluber, -bri* (m.) Schlange) ◆ **21 f.** ordne *nec utī terna villōsa colubrīs guttura Medūsaeī mōnstrī vincīrem* ◆ **22 terna** ~ *tria* | **Medūsaeum mōnstrum** das von Medusa abstammende Ungeheuer (gemeint ist Cerberus) | **guttur, -uris** (n.) Kehle, Hals ◆ **23 calcāre** treten | **venēnum** Gift ◆ **23 f.** ordne *in quam vīpera calcāta venēnum diffūdit* ◆ **24 vīpera** Schlange | **diffundere, -fundō, -fūdī** hier: verspritzen | **crēscentēs annī** die jungen Jahre ◆ **25 temptāsse** ~ *temptavisse* ◆ **26 supera ōra** Oberwelt ◆ **27 et** ~ *etiam* | **augurārī** ahnen, vermuten | **auguror** ⟨*eum notum*⟩ **esse** ◆ **28 rapīna** →ENV Pluto ◆ **29 per** hier: bei (als Schwurformel) ◆ **30 chaos** (n.) grenzenloser leerer Raum, Reich der Finsternis ◆ **31 retexere, -texō** »auftrennen«: rückgängig machen ◆ **32 dēbērī** bestimmt, verfallen sein | **omnia** in allem, in Bezug auf alles (Akk. Graecus) | **morāti** ⟨*in terra*⟩ ◆ **34 tendere** ~ *contendere* ◆ **36 haec** (gemeint ist Eurydike) | **mātūra** präd. | **iūstus** hier: zustehend, gebührend | **peragere, -agō, -ēgī** verbringen, leben

iuris erit vestri: pro munere poscimus usum;
quodsi fata negant veniam pro coniuge, certum est
nolle redire mihi: leto gaudete duorum.«
Talia dicentem nervosque ad verba moventem
exsangues flebant animae; nec Tantalus undam
captavit refugam, stupuitque Ixionis orbis,
nec carpsere iecur volucres, urnisque vacarunt
Belides, inque tuo sedisti, Sisyphe, saxo.
Tunc primum lacrimis victarum carmine fama est
Eumenidum maduisse genas, nec regia coniunx
sustinet oranti nec, qui regit ima, negare,
Eurydicenque vocant: umbras erat illa recentes
inter et incessit passu de vulnere tardo.
Hanc simul et legem Rhodopeius accipit heros,
ne flectat retro sua lumina, donec Avernas
exierit valles; aut irrita dona futura.
Carpitur acclivis per muta silentia trames,
arduus, obscurus, caligine densus opaca,

◆ **37 iūris erit vestrī** sie wird eurem Rechtsbereich zufallen | **prō** hier: anstatt | **ūsus, -ūs** (m.) jurist. ›Nutzungsrecht‹, Leihgabe ◆ **38 quodsī** wenn aber ◆ **39 lētum** →V

◆ **40 movēre** ~ *pellere* ◆ **41 exsanguis** blutleer ◆ **42 refugus** fliehend, zurückweichend | **stupēre** →V | **orbis** hier: Rad ◆ **43 carpsēre** ~ *carpserunt* (*carpere* →V) | **iecur, -oris** (n.) Leber (→ENV Tityos) | **volucris** →V | **urnīs vacārī** die Krüge niederstellen ◆ **45 f.** ordne *fāma est tunc prīmum genās Eumenidum carmine victārum lacrimīs maduisse* ◆ **46 madēscere, madēscō, maduī** nass werden | **gena** →V ◆ **47 nec** ⟨*is*⟩, **quī** | **īmum, -i** (n.) Unterwelt (poet. Pl.) ◆ **50 hanc** (gemeint ist Eurydike) | **Rhodopēïus hērōs, -ōis** (m.) Held vom Rhodogebirge: Orpheus ◆ **51 retrō** zurück, nach hinten | **Avernae vallēs** Täler beim Avernersee ◆ **52 irritus** ungültig, unwirksam | **futūra** ⟨*esse*⟩ ◆ **53 carpere** →V | **acclīvis** ansteigend, aufwärts | **mūtus** still, lautlos | **trāmes, -itis** (m.) Pfad ◆ **54 cālīgō, -inis** (f.) Finsternis, Dunkel | **dēnsus** dicht erfüllt | **opācus** schattig, finster

nec procul afuerunt telluris margine summae:
hic, ne deficeret, metuens avidusque videndi
flexit amans oculos, et protinus illa relapsa est,
bracchiaque intendens prendique et prendere certans
nil nisi cedentes infelix arripit auras.
Iamque iterum moriens non est de coniuge quicquam
questa suo (quid enim nisi se quereretur amatam?)
supremumque »Vale«, quod iam vix auribus ille
acciperet, dixit revolutaque rursus eodem est.
Non aliter stupuit gemina nece coniugis Orpheus,
quam tria qui timidus, medio portante catenas,
colla canis vidit, quem non pavor ante reliquit,
quam natura prior saxo per corpus oborto,
quique in se crimen traxit voluitque videri
Olenos esse nocens, tuque, o confisa figurae,
infelix Lethaea, tuae, iunctissima quondam
pectora, nunc lapides, quos umida sustinet Ide.
Orantem frustraque iterum transire volentem

◆ **55 tellūris summae** Erdoberfläche | **margō, -inis** (m.) Rand ◆ **56 avidus** begierig ◆ **57 prōtinus** sofort | **relābī** < *re* + *labi* ◆ **58 bracchia intendere** die Arme ausstrecken | **prēndere** ~ *prehendere* ◆ **59 arripere, -ripiō** ergreifen, fassen ◆ **60 f.** ordne *nōn quicquam dē coniuge questa est* ◆ **61 sē amātam** ⟨*esse*⟩ ◆ **62 suprēmum** ein letztes Mal ◆ **63 revolvere, -volvō, -volvī, -volūtum** (Pass.) zurückfallen, -sinken | **eōdem** an denselben Ort zurück, von dem sie kam

◆ **64 stupēre** →V | **geminus** →V ◆ **65 f.** ordne *quam* ⟨*is*⟩, *quī timidus tria colla canis vīdit* | **mediō** ⟨*collo*⟩ **catēnās portante** | **catēna** Kette, Fessel ◆ **66 f.** ordne *quem pavor nōn relīquit antequam natūra prior* ◆ **67 prior** hier: bisherig | **saxō oborīrī, -orior, -ortus sum** zu Stein erstarren ◆ **68 crīmen in sē trahere** ein Verbrechen auf sich nehmen ◆ **69 nocēns** schuldig ◆ **70 tuae** Bez. auf *figurae* ◆ **71 ūmidus** nass, reich an Quellen | **sustinēre** ~ *tenere* ◆ **72 ōrantem, volentem** (gemeint ist Orpheus) | **trānsīre** ⟨*Stygem*⟩

portitor arcuerat: septem tamen ille diebus
squalidus in ripa Cereris sine munere sedit;
cura dolorque animi lacrimaeque alimenta fuere.
Esse deos Erebi crudeles questus, in altam
se recipit Rhodopen pulsumque aquilonibus Haemum.

17. Pygmalion (10,243–297)

Der Bildhauer Pygmalion hat vom lasterhaften Verhalten der Töchter des Propoetus gehört und beschlossen, ehelos zu bleiben.

Quas quia Pygmalion aevum per crimen agentis
viderat, offensus vitiis, quae plurima menti
femineae natura dedit, sine coniuge caelebs
vivebat thalamique diu consorte carebat.
Interea niveum mira feliciter arte
sculpsit ebur formamque dedit, qua femina nasci
nulla potest, operisque sui concepit amorem.
Virginis est verae facies, quam vivere credas,
et, si non obstet reverentia, velle moveri:

◆ **73 portitor, -ōris** (m.) Fährmann (Charon) | **septem diēbus** ~ *per septem dies* ◆ **74 squālidus** schmutzig; in Trauerkleidern | **mūnus Cereris** »Geschenk der Ceres«: Brot ◆ **75 alimentum** Nahrungsmittel | **fuēre** ~ *fuerunt* ◆ **76 questus** ⟨*est*⟩ ◆ **77 pellere** hier: umtosen, peitschen | **aquilō, -ōnis** (m.) Nordostwind

◆ **243 quās** die Propoetiden, dazu: *aevum* (→V) *per crīmen agentīs* ◆ **244 plūrima** Bez. auf *vitiīs*, im Dt. Adv. ◆ **245 caelebs** ehelos ◆ **246 cōnsors thalamī** »Genossin des Ehebetts«: Ehefrau ◆ **247 niveus** →V ◆ **248 sculpere, sculpō, sculpsī** meißeln, formen | **ebur** →V ◆ **249 amōrem concipere** + Gen.: sich verlieben in ◆ **250 f.** ordne *crēdās quam vīvere et movērī* (sich bewegen) *velle* ◆ **251 reverentia** Ehrfurcht, Scheu

ars adeo latet arte sua. Miratur et haurit
pectore Pygmalion simulati corporis ignes.
Saepe manus operi temptantes admovet, an sit
corpus an illud ebur, nec adhuc ebur esse fatetur.
Oscula dat reddique putat loquiturque tenetque
et credit tactis digitos insidere membris
et metuit, pressos veniat ne livor in artus,
et modo blanditias adhibet, modo grata puellis
munera fert illi: conchas teretesque lapillos
et parvas volucres et flores mille colorum
liliaque pictasque pilas et ab arbore lapsas
Heliadum lacrimas; ornat quoque vestibus artus,
dat digitis gemmas, dat longa monilia collo,
aure leves bacae, redimicula pectore pendent:
cuncta decent; nec nuda minus formosa videtur.
Collocat hanc stratis concha Sidonide tinctis
appellatque tori sociam acclinataque colla
mollibus in plumis, tamquam sensura, reponit.

◆ **252 haurīre … ignēs** + Gen.: glühende Liebe empfinden zu jdm. ◆ **254 admovēre** →V | **temptāre** hier: prüfen, tasten ◆ **254 f.** ordne *admovet manūs temptantēs, an illud corpus sit an ebur* ◆ **255 ebur** →V | **fatērī** hier: sich eingestehen ◆ **256 ōsculum** →V | ordne *-que putat ⟨oscula⟩ reddī* ◆ **257 digitus** →V | **īnsīdere** sich eindrücken ◆ **258 līvor, -ōris** (m.) blauer Fleck | **artus** →V ◆ **259 blanditiae, -ārum** Liebkosungen, Komplimente ◆ **260 concha** Perle, Muschel | **teres, -etis** glatt | **lapillus** (Edel-)Stein ◆ **261 volucris** →V ◆ **262 līlium** Lilie | **pila** Ball ◆ **263 lacrimae Hēliadum** Bernstein (→ENV Hēliades) | **artus** →V ◆ **264 digitus** →V | **gemma** Edelstein, Perle | **monīle, -is** (n.) Halsband | **collum** →V ◆ **265 bāca** Perle | **redimīculum** Kette ◆ **266 decēre** jdm. gut stehen ◆ **267 collocāre** hier: hinlegen | **strātum** Polster, Decke | **concha Sīdōnis** »phönizische Purpurschnecke«: Purpur | **tingere** →V ◆ **268 torus** →V | **acclīnāre** neigen | **collum** →V ◆ **269 plūma** Feder(kissen) | **sēnsūra** ⟨*esset*⟩ | **repōnere** betten, hinlegen

Festa dies Veneris tota celeberrima Cypro
venerat, et pandis inductae cornibus aurum
conciderant ictae nivea cervice iuvencae,
turaque fumabant, cum munere functus ad aras
constitit et timide »Si, di, dare cuncta potestis,
sit coniunx, opto«, non ausus ›eburnea virgo‹
dicere, Pygmalion »similis mea« dixit »eburnae.«
Sensit, ut ipsa suis aderat Venus aurea festis,
vota quid illa velint et, amici numinis omen,
flamma ter accensa est apicemque per aëra duxit.
Ut rediit, simulacra suae petit ille puellae
incumbensque toro dedit oscula: visa tepere est.
Admovet os iterum, manibus quoque pectora temptat:
temptatum mollescit ebur positoque rigore
subsidit digitis ceditque, ut Hymettia sole
cera remollescit tractataque pollice multas
flectitur in facies ipsoque fit utilis usu.
Dum stupet et dubie gaudet fallique veretur,

◆ **270 fēsta diēs** Festtag, dazu *celeberrima* ◆ **271 pandīs inductae cornibus aurum** mit gekrümmten, goldüberzogenen Hörnern ◆ **272 īcere, īciō** treffen, schlagen | **niveus** →V | **cervīx** →V | **iuvenca** Opferkuh ◆ **273 tūs, tūris** (n.) Weihrauch | **fūmāre** rauchen ◆ **275 eburneus** elfenbeinern, weiß wie Elfenbein ◆ **275 f.** ordne *optō, ⟨ut⟩ coniūnx mea sit – Pygmalion nōn ausus ⟨est⟩ dīcere ›eburnea virgō‹ – similis eburneae ⟨virgini⟩* ◆ **277** ⟨*Venus*⟩ **sēnsit** | **fēstum** Feierlichkeit, Fest ◆ **278 amīcus** Adj.! ◆ **279 ter** dreimal | **accendere** hier: auflodern | **apicem dūcere** spitz, züngelnd emporsteigen

◆ **281 incumbere, -cumbō** sich niederlegen | **torus** →V | **ōsculum** →V | **tepēre** warm sein ◆ **282 admovēre** →V | **temptāre** prüfen, tasten ◆ **283 mollēscere, mollēscō** weich werden | **ebur** →V | **pōnere** ~ *deponere* | **rigor, -ōris** (m.) Starre ◆ **284 subsīdere, -sīdō** nachgeben | **digitus** →V | **Hymēttius** Adj. zu *Hymettus* ◆ **285 cēra** →V | **remollēscere, -mollēscō** wieder weich werden | **pollex, -icis** (m.) Daumen ◆ **286 faciēs** hier: Form ◆ **287 stupēre** →V | **dubiē** voller Zweifel

rursus amans rursusque manu sua vota retractat. 288
Corpus erat! Saliunt temptatae pollice venae.
Tum vero Paphius plenissima concipit heros
verba, quibus Veneri grates agat, oraque tandem 291
ore suo non falsa premit, dataque oscula virgo
sensit et erubuit timidumque ad lumina lumen
attollens pariter cum caelo vidit amantem. 294
Coniugio, quod fecit, adest dea, iamque coactis
cornibus in plenum noviens lunaribus orbem
illa Paphon genuit, de qua tenet insula nomen. 297

18. Midas (11,85–145)

Der Gott Bacchus bestraft seine thrakischen Anhängerinnen, die den Sänger Orpheus getötet haben, und zieht dann weiter nach Lydien.

Nec satis hoc Baccho est: ipsos quoque deserit agros
cumque choro meliore sui vineta Timoli
Pactolonque petit, quamvis non aureus illo 87
tempore nec caris erat invidiosus harenis.

◆ **288 vōtum** hier: Wunschbild | **retractāre** wieder berühren ◆ **289 salīre** springen, pochen | **vēna** → V ◆ **290 Paphius hērōs** Held aus Paphos (Pygmalion) | **290 f. plēnissima concipere … verba** eine Fülle von Worten aussprechen | **grātēs** ~ *gratias* ◆ **292 ōsculum** → V ◆ **293 ērubēscere, -rubēscō, -rubuī** erröten | **lūmen** → V ◆ **attollere** erheben ◆ **295 coniugium** Ehe | **facere** hier: stiften, in die Wege leiten ◆ **295 f. coāctīs cornibus lūnāribus noviēns in plēnum orbem** als sich die Hörner des Mondes zum neunten Mal zum vollen Kreis gerundet hatten ◆ **297 gignere, gignō, genuī** zur Welt bringen

◆ **85 ipsōs agrōs** (gemeint ist Thrakien) ◆ **86 chorus** Gefolge | **vīnētum** Weinberg ◆ **87 quamvīs** → V | **aureus** hier: goldhaltig ◆ **88 invidiōsus** + Dat.: beneidet um

Hunc assueta cohors, satyri bacchaeque, frequentant,
at Silenus abest: titubantem annisque meroque
ruricolae cepere Phryges vinctumque coronis
ad regem duxere Midan, cui Thracius Orpheus
orgia tradiderat cum Cecropio Eumolpo.
Qui simul agnovit socium comitemque sacrorum,
hospitis adventu festum genialiter egit
per bis quinque dies et iunctas ordine noctes,
et iam stellarum sublime coegerat agmen
Lucifer undecimus, Lydos cum laetus in agros
rex venit et iuveni Silenum reddit alumno.
Huic deus optandi gratum, sed inutile, fecit
muneris arbitrium gaudens altore recepto.
Ille male usurus donis ait »Effice, quicquid
corpore contigero, fulvum vertatur in aurum.«
Annuit optatis nocituraque munera solvit
Liber et indoluit, quod non meliora petisset.

◆ **89 assuētus** gewohnt | **satyrī, bacchae** →ENV | **frequentāre** umschwärmen ◆ **90 titubāre** schwanken (*titubantem* ⟨*Silenum*⟩) | **merum** (unverdünnter) Wein ◆ **91 rūricolae Phryges** phrygische Bauern | **cepēre** ~ *ceperunt* ◆ **92 dūxēre** ~ *duxerunt* | **Thrācius** aus Thrakien | **cui … cum Eumolpō** ◆ **93 orgia, -ōrum** (n.) Bacchuskult, nächtliche Bacchusfeier | **Cecropius** attisch ◆ **94 agnōscere** ~ *cognōscere* | **sacra** hier: Feier des Bacchus ◆ **95 fēstum** Fest | **geniālis** fröhlich, heiter ◆ **96 ōrdine** hintereinander ◆ **97 sublīmis** in der Luft | **cōgere agmen** die Nachhut bilden (milit.) ◆ **98 Lȳdus** Adj. zu *Lydia* ◆ **99 iuvenis** Adj.! | **alumnus** Zögling: Bacchus

◆ **100 inūtilis** verderblich ◆ **100 f.** ordne *huic* (= Midas) *grātum sed inūtile arbitrium mūneris optandī fēcit* ◆ **101 arbitrium** Entscheidung, freie Wahl | **altor, -ōris** (m.) Erzieher ◆ **102 male** zu seinem Unglück | **effice,** ⟨*ut*⟩ ◆ **103 fulvus** rötlich, goldgelb | **vertere** hier: verwandeln ◆ **104 annuere, -nuō, -nuī** zustimmen | **mūnera solvere** das Geschenk gewähren ◆ **105 indolēscere, -dolēscō, -doluī** betrübt sein | **petīsset** ~ *petivisset*

Laetus abit gaudetque malo Berecyntius heros
pollicitique fidem tangendo singula temptat
vixque sibi credens, non alta fronde virentem 108
ilice detraxit virgam: virga aurea facta est;
tollit humo saxum: saxum quoque palluit auro;
contigit et glaebam: contactu glaeba potenti 111
massa fit; arentis Cereris decerpsit aristas:
aurea messis erat; demptum tenet arbore pomum:
Hesperidas donasse putes; si postibus altis 114
admovit digitos, postes radiare videntur;
ille etiam liquidis palmas ubi laverat undis,
unda fluens palmis Danaen eludere posset; 117
vix spes ipse suas animo capit aurea fingens
omnia. Gaudenti mensas posuere ministri
exstructas dapibus nec tostae frugis egentes: 120
tum vero, sive ille sua Cerealia dextra
munera contigerat, Cerealia dona rigebant,

◆ **106 malum** hier: kommendes Unheil | **Berecynthius hērōs** phrygischer Held (Midas) ◆ **107 pollicitum** Versprechen | **fidēs** hier: Zuverlässigkeit | **singula** ~ *singulas res* ◆ **108 sibī crēdere** auf seine Fähigkeit vertrauen ◆ **108 f. virga frōnde virēns** grünbelaubter Zweig | **īlex, īlicis** (f.) Steineiche | **dētrahere** herabziehen ◆ **110 pallēscere, pallēscō, palluī** hell, gelblich werden ◆ **111 glaeba** Erdscholle | **potēns** hier: magisch (Bez. auf *contāctus, -ūs,* m., Berührung) ◆ **112 māssa** (Gold-)Klumpen | **ārēns** reif (*arentīs*!) | **dēcerpere, -cerpō** abpflücken | **arista** Ähre ◆ **113 messis, -is** (f.) Ernte | **dēmere, dēmō, dēmpsī, dēmptum** ~ *carpere* | **pōmum** →V ◆ **114 dōnāsse** ~ *donavisse* | **postis, -is** (m.) Pfosten ◆ **115 admovēre** →V | **digitus** →V | **radiāre** strahlen, leuchten ◆ **116 liquidus** →V | **palma** →V ◆ **117 ēlūdere** täuschen ◆ **118 animō capere** begreifen | **fingere** hier: sich vorstellen ◆ **119 gaudentī** ⟨*regi*⟩ | **posuēre** ~ *posuerunt* (*pōnere* hier: aufstellen) | **minister, -trī** Diener ◆ **120 exstruere, -struō, -strūxī** beladen | **daps, dapis** (f.) Speise | **tosta frūx** geröstetes Getreide (Brot) | **egēre** + Gen.! ◆ **121 f. Cereālia … mūnera** Geschenk der Ceres (Brot) ◆ **122 rigēre** hart, starr sein

sive dapes avido convellere dente parabat,
lammina fulva dapes admoto dente premebat;
miscuerat puris auctorem muneris undis:
fusile per rictus aurum fluitare videres.
  Attonitus novitate mali divesque miserque
effugere optat opes et quae modo voverat, odit.
Copia nulla famem relevat; sitis arida guttur
urit, et inviso meritus torquetur ab auro
ad caelumque manus et splendida bracchia tollens
»Da veniam, Lenaee pater! Peccavimus« inquit,
»sed miserere, precor, speciosoque eripe damno!«
Mite deum numen: Bacchus peccasse fatentem
restituit pactique fide data munera solvit
»Neve male optato maneas circumlitus auro,
vade« ait »ad magnis vicinum Sardibus amnem
perque iugum nitens labentibus obvius undis

◆ **123 convellere, -vellō** abbeißen, verzehren ◆ **124 lammina fulva** goldene Schicht | **admovēre** →V | **premere** hier: bedecken, umschließen ◆ **125 auctor mūneris** (= Bacchus) hier: Wein ◆ **126 fūsilis** flüssig, geschmolzen | **rictus, -ūs** (m.) offener Mund, Kehle | **fluitāre** ~ *fluere*

◆ **127 attonitus** vom Donner gerührt, erschüttert | **novitās, -atis** < *novus* ◆ **128f.** ordne *ōdit ⟨ea,⟩ quae vōverat* | **vovēre** wünschen ◆ **129 nūlla cōpia** ⟨*ciborum*⟩ | **relevāre** stillen | **āridus** brennend | **guttur, -uris** (n.) Kehle ◆ **130 ūrere** →V | **invīsus** verhasst | **torquēre** foltern ◆ **131 splendidus** schimmernd, glänzend | **bracchium** →V ◆ **132 Lēnaeus** (zur Kelter gehörig) **pater** (gemeint ist Bacchus) ◆ **133 miserērī** sich erbarmen | **speciōsus** glänzend, prächtig anzusehen | **damnum** hier: Elend ◆ **134** ordne *nūmen de⟨ōr⟩um mīte ⟨est⟩* | **mītis** →V | ⟨*regem se*⟩ **peccā⟨*vi*⟩sse fatentem** ◆ **135 restituere** hier: erlösen | **pactī fidē data mūnera solvit** er nahm das in Erfüllung (*fide*) des Vertrags gegebene Geschenk zurück ◆ **136 neve** ~ *ne* | **male** zu seinem Unglück | **circumlitus** überzogen mit ◆ **137 iugum** hier: Gebirge | **nītī** hier: klettern | **obvius undīs** stromaufwärts

carpe viam, donec venias ad fluminis ortus,
spumigeroque tuum fonti, qua plurimus exit,
subde caput corpusque simul, simul elue crimen.« 141
Rex iussae succedit aquae: vis aurea tinxit
flumen et humano de corpore cessit in amnem;
nunc quoque iam veteris percepto semine venae 144
arva rigent auro madidis pallentia glaebis.

19. Die Apotheose des Aeneas (14,581–608)

Als sich das verdienstvolle Leben des Aeneas dem Ende zuneigt, tritt seine Mutter Venus mit einer Bitte an Jupiter heran.

Iamque deos omnes ipsamque Aeneia virtus
Iunonem veteres finire coegerat iras, 582
cum, bene fundatis opibus crescentis Iuli,
tempestivus erat caelo Cythereius heros.
Ambieratque Venus superos colloque parentis 585

◆ **139 carpere** →V | **ortus, -ūs** (m.) ~ *origo* ◆ **140 spūmiger** sprudelnd | **plūrimus** hier: am stärksten ◆ **140 f.** ordne *subde caput tuum spūmigerō fontī* ◆ **141 subdere, -dō** + Dat.: tauchen unter | **ēluere, -luō** abwaschen | **crīmen** hier: Schuld ◆ **142 iussae** wie befohlen | **vīs aurea** golderzeugende Kraft | **tingere** →V ◆ **144 percipere** hier: empfangen | **sēmen** →V | **vēna** →V ◆ **144 f.** ordne *arva sēmine nunc iam vēnae veteris perceptō rigent aurō* ◆ **145 arvum** →V | **rigēre** hart, starr sein | **madidus** feucht | **pallēre** gelblich sein, glänzen | **glaeba** Erdscholle

◆ **581 Aenēia virtus** ~ *virtus Aeneae* ◆ **582 īra vetus** →ENV Juno ◆ **583 fundāre** sichern, festigen | **crēscere** hier: heranwachsen ◆ **584 tempestīvus** + Dat.: reif für etw. | **Cytherēïus** Adj. zu *Cytherea* | **hērōs, -ōis** (m.) Held (Aeneas) ◆ **585 ambīre** + Akk.: die Runde machen unter | **superī** →V | **collum** →V | **parēns** (gemeint ist Jupiter)

circumfusa sui »Numquam mihi« dixerat »ullo
tempore dure pater, nunc sis mitissimus, opto,
Aeneaeque meo, qui te de sanguine nostro
fecit avum, quamvis parvum des, optime, numen,
dummodo des aliquod! Satis est inamabile regnum
aspexisse semel, Stygios semel isse per amnes.«
Assensere dei, nec coniunx regia vultus
immotos tenuit placatoque annuit ore;
tum pater »Estis« ait »caelesti munere digni,
quaeque petis pro quoque petis: cape, nata, quod optas!«
Fatus erat: gaudet gratesque agit illa parenti
perque leves auras iunctis invecta columbis
litus adit Laurens, ubi tectus harundine serpit
in freta flumineis vicina Numicius undis.
Hunc iubet Aeneae, quaecumque obnoxia morti,
abluere et tacito deferre sub aequora cursu;
corniger exsequitur Veneris mandata suisque,
quicquid in Aenea fuerat mortale, repurgat

◆ **586 circumfundere** + Abl.: sich hängen an ◆ **586 f. numquam – pater** Anrede, ebenso *optime* in 589 ◆ **587 optō,** ⟨*ut*⟩ **sis** | **mītis** →V ◆ **588 f.** ordne *et Aenēae meō, quī dē sanguine nostrō* ⟨*est et*⟩ *tē avum fēcit, quamvīs parvum nūmen dēs* | **quamvīs** →V ◆ **590 dummodo** wenn nur | **inamābile rēgnum** Unterwelt ◆ **591 semel** einmal | **Stygius** →V ◆ **592 assensēre** ~ *assenserunt* (*assentire* ~ *assentiri*) | **coniūnx rēgia** (gemeint ist Juno) ◆ **593 im-mōtus** ↔ *motus* (< *movere*) | **plācātus** besänftigt | **annuere, -nuō, -nuī** zustimmen ◆ **595 f.** ordne *et* ⟨*tu,*⟩ *quae petis et* ⟨*is,*⟩ *prō quō petis* | **nāta** →V ◆ **596 grātēs** ~ *gratias* ◆ **597 iūnctae columbae** Taubengespann | **invehī** ~ *vehi* ◆ **598 harundō** →V | **serpere, serpō** sich schlängeln ◆ **598 f.** ordne *Numīcius harundine tēctus flūmineīs undīs in vīcīna freta serpit* ◆ **599 fretum** Meer | **flūmineīs** ~ *fluminis* ◆ **600 hunc** (gemeint ist Numicius) | ⟨*id*⟩ **Aenēae, quaecumque obnoxia** ⟨*sunt*⟩ | **obnoxius** + Dat.: ausgesetzt, unterworfen ◆ **601 abluere, -luō** + Dat.: abspülen von | **tacitus, -a, -um** < *tacēre* | **aequor** →V ◆ **602** ⟨Numicius⟩ **corniger** Hörner tragend ◆ **603 repūrgāre** reinigen

et respersit aquis; pars optima restitit illi.
Lustratum genetrix divino corpus odore
unxit et ambrosia cum dulci nectare mixta 606
contigit os fecitque deum, quem turba Quirini
nuncupat Indigetem temploque arisque recepit.

20. Die Apotheose Caesars (15,745–851)

Äskulap, der Gott der Heilkunst, stammte ursprünglich aus Epidauros. Auf die Geschichte über seine Ankunft in Rom folgt die Erhebung Caesars in die Reihen der Götter.

Hic tamen accessit delubris advena nostris:
Caesar in urbe sua deus est; quem Marte togaque
praecipuum non bella magis finita triumphis 747
resque domi gestae properataque gloria rerum
in sidus vertere novum stellamque comantem,
quam sua progenies; neque enim de Caesaris actis 750
ullum maius opus, quam quod pater exstitit huius:

◆ **604 respergere, -spergō, -spersī** besprengen ◆ **605 lūstrāre** (rituell) reinigen | **genetrīx, -īcis** ~ *mater* | **odor** hier: duftende Salbe ◆ **606 unguere, unguō, ūnxī** einreiben | **ambrosia** Götterspeise, **nectar, -aris** (n.) Trank der Götter (die Nahrung der Götter verleiht Unsterblichkeit) ◆ **607 fēcit** ⟨*eum*⟩ **deum** | **turba** ~ *populus* ◆ **608 nūncupāre** feierlich nennen

◆ **745 hic** (gemeint ist Aesculapius) | **dēlūbrum** Heiligtum | **advena** (m.) Fremder ◆ **746 Mārte togāque** in Krieg und Frieden ◆ **747 praecipuus** vortrefflich, herausragend ◆ **747 ff. nōn magis … quam** ◆ **748 properāta** schnell errungen | **glōria rērum** Tatenruhm ◆ **749 sīdus** →V | **vertere** hier: verwandeln (*vertēre*!) | **stēlla comāns** »behaarter Stern«: Komet ◆ **750 prōgeniēs, -ēī** (m.) Nachkomme (gemeint ist Augustus) ◆ **750 f.** ordne *neque ūllum opus dē* ⟨*rebus*⟩ *āctīs Caesaris māius* ⟨*est*⟩ *quam quod pater* (präd.) *huius exstitit* ◆ **751 quam** als (Vergleich)

scilicet aequoreos plus est domuisse Britannos
perque papyriferi septemflua flumina Nili
victrices egisse rates Numidasque rebelles
Cinyphiumque Iubam Mithridateisque tumentem
nominibus Pontum populo adiecisse Quirini
et multos meruisse, aliquos egisse triumphos,
quam tantum genuisse virum, quo praeside rerum
humano generi, superi, favistis abunde.
Ne foret hic igitur mortali semine cretus,
ille deus faciendus erat; quod ut aurea vidit
Aeneae genetrix, vidit quoque triste parari
pontifici letum et coniurata arma moveri,
palluit et cunctis, ut cuique erat obvia, divis
»Aspice«, dicebat »quanta mihi mole parentur
insidiae, quantaque caput cum fraude petatur,
quod de Dardanio solum mihi restat Iulo.

◆ **752 aequorēus** vom Meer umgeben | **plūs est** es ist mehr wert (dazu Infinitive *domuisse* bis *genuisse* als Subj.) | **domāre, domō, domuī** bezwingen ◆ **753 papȳrifer** papyrusumsäumt | **septemflua flūmina** siebenarmige Fluten ◆ **754 victrīx, -īcis** siegreich | **agere** ~ *ducere* | **rebellēs, -ium** Aufständische ◆ **755 Cīnyphius** afrikanisch | **Mithridātēus** Adj. zu *Mithridates* | **tumēre** + Abl.: (vor Stolz) aufgeblasen sein, sich brüsten mit ◆ **756 nōmen** poet. Pl. ◆ **757 multōs** ⟨*triumphos*⟩ | **agere** hier: feiern ◆ **758 gignere, gignō, genuī** hervorbringen | **virum** (gemeint ist Augustus) | **quō praeside rērum** durch dessen Herrschaft über die Welt ◆ **759 superī** →V | **favēre, faveō, fāvī** + Dat.: Gnade erweisen | **abundē** im Überfluss ◆ **760 foret** ~ *esset* | **hic** (gemeint ist Augustus) | **sēmen** →V | **crēscere** hier: entstammen | **ille** (gemeint ist Caesar) ◆ **762 genetrīx Aenēae** die Mutter des Aeneas (Venus) | ⟨*et ut*⟩ **vīdit** ◆ **763 pontifex** (Caesar war seit 64 v. Chr. *pontifex maximus*) | **lētum** →V | **coniūrāta** ~ *coniuratorum* | **arma movēre** Waffen zücken ◆ **764 pallēscere, pallēscō, palluī** erblassen | **obvius esse** + Dat.: jdm. begegnen | **dīvīs** Subst.! ◆ **765 mōlēs** hier: Anstrengung ◆ **766 caput** (gemeint ist Caesar) ◆ **767 Dardanius** trojanisch (→ENV Dardanus)

Solane semper ero iustis exercita curis?
Quam modo Tydidae Calydonia vulneret hasta,
nunc male defensae confundant moenia Troiae;
quae videam natum longis erroribus actum
iactarique freto sedesque intrare silentum
bellaque cum Turno gerere, aut, si vera fatemur,
cum Iunone magis? Quid nunc antiqua recordor
damna mei generis? Timor hic meminisse priorum
non sinit; in me acui sceleratos cernitis enses?
Quos prohibete, precor, facinusque repellite neve
caede sacerdotis flammas exstinguite Vestae!«
Talia nequiquam toto Venus anxia caelo
verba iacit superosque movet, qui rumpere quamquam
ferrea non possunt veterum decreta sororum,
signa tamen luctus dant haud incerta futuri;
arma ferunt inter nigras crepitantia nubes
terribilesque tubas auditaque cornua caelo

◆ **768 iūstus** hier: begründet | **exercitus** beunruhigt, geplagt ◆ **769 quam** ~ *cum me* (kausal) | **Tȳdīdae** Gen. Sg. | **Calydōnius** Adj. zu *Calydon* | **hasta** Speer ◆ **769 f. modo … nunc** ~ *modo … modo* ◆ **770 cōnfundere** in Bestürzung versetzen ◆ **771 quae** ich, die ich … | **nātus** (gemeint ist Aeneas) | **agere** hier: umhertreiben ◆ **772 fretum** Meer | **sēdēs silentum** Sitz der Toten, Unterwelt ◆ **773 f.** ordne *aut magis* (hier: vielmehr) *cum Iūnōne* ◆ **774 quid** ~ *cur* ◆ **775 hic** ~ *praesens* | **priōrum** ⟨*damnorum*⟩ ◆ **776 acuere, acuō** wetzen, schärfen | **ēnsis** →V ◆ **777 nēve** und nicht

◆ **779 nēquīquam** ~ *frustrā* | **anxius** besorgt, geängstigt ◆ **779 f. tālia anxia … verba** ◆ **780 iacere** hier: vorbringen | **superī** →V | **movēre** hier: zu bewegen versuchen | ◆ **780 ff.** ordne *quī, quamquam … rumpere nōn possunt, sīgna haud incerta … dant* ◆ **781 ferreus, -a, -um** < *ferrum* | **sorōrēs veterēs** (gemeint sind die Parzen) ◆ **782 lūctus, -ūs** (m.) Trauer ◆ **783 ferunt** man sagt | **niger, -gra, -grum** schwarz | **crepitāre** klirren, dröhnen | **nūbēs** →V ◆ **784 terribilis** schrecklich | **tuba** Trompete

praemonuisse nefas; solis quoque tristis imago
lurida sollicitis praebebat lumina terris; 786
saepe faces visae mediis ardere sub astris,
saepe inter nimbos guttae cecidere cruentae;
caerulus et vultum ferrugine Lucifer atra 789
sparsus erat, sparsi lunares sanguine currus;
tristia mille locis Stygius dedit omina bubo,
mille locis lacrimavit ebur, cantusque feruntur 792
auditi sanctis et verba minantia lucis.
Victima nulla litat, magnosque instare tumultus
fibra monet, caesumque caput reperitur in extis; 795
inque foro circumque domos et templa deorum
nocturnos ululasse canes umbrasque silentum
erravisse ferunt motamque tremoribus urbem. 798
Non tamen insidias venturaque vincere fata

◆ **785 praemonēre** ankündigen | **nefās** (n.) Frevel, Verbrechen | **imāgō** hier: Antlitz ◆ **786 lūridus** fahl | **sollicitus** besorgt ◆ **787 fax** →V | **facēs vīsae** ⟨*sunt*⟩ **ārdēre** ◆ **788 nimbus** Wolke | **gutta** Tropfen | **cecidēre** ~ *ceciderunt* | **cruentus** blutig, blutrot ◆ **789 caerulus** dunkel | **ferrūgō, -inis** (f.) Rost ◆ **789 f.** ordne *Lūcifer caerulus et vultum* (im Gesicht, Akk. Graecus) *ferrūgine ātrā sparsus erat* ◆ **790 spargere, spargō, sparsī, sparsum** besprengen | **sparsī** ⟨*erant*⟩ | **lūnāris currus** Mondbahn ◆ **791 Stygius** →V | **būbō, -ōnis** (m.) Uhu ◆ **lacrimāre** < *lacrima* | **ebur, eboris** (n.) Elfenbein (gemeint: elfenbeinerne Statuen, ihr Schwitzen wurde als Weinen, d. h. schlechtes Omen, gedeutet) | **cantus, -ūs** (m.) hier: Stimme | **feruntur** man sagt ◆ **792 f.** ordne *cantūs et verba mināntia audītī* ⟨*esse*⟩ ◆ **793 minārī** drohen | **lūcus** Hain ◆ **794 victima** Opfertier | **litāre** günstige Vorzeichen geben ◆ **795 fibra, -ae** Eingeweide (koll. Sg.) | **caput** ⟨*iecoris*⟩ Erhöhung an der Leber, ein Einschneiden galt als böses Omen | **exta, -ōrum** (n.) Eingeweide ◆ **797 nocturnōs** hier: in der Nacht | **ululāsse** ~ *ululavisse* (*ululare* jaulen) | **umbrae silentum** Schatten der Toten ◆ **798 ferunt** man sagt | **tremor, -ōris** (m.) Erdstoß | **mōtam** ⟨esse⟩ ◆ **799 vincere** hier: abwenden

praemonitus potuere deum, strictique feruntur
in templum gladii: neque enim locus ullus in urbe
ad facinus diramque placet nisi curia caedem.
Tum vero Cytherea manu percussit utraque
pectus et Aeneaden molitur condere nube,
qua prius infesto Paris est ereptus Atridae,
et Diomedeos Aeneas fugerat enses.
Talibus hanc genitor: »Sola insuperabile fatum,
nata, movere paras? Intres licet ipsa sororum
tecta trium: cernes illic molimine vasto
ex aere et solido rerum tabularia ferro,
quae neque concursum caeli neque fulminis iram
nec metuunt ullas tuta atque aeterna ruinas;
invenies illic incisa adamante perenni
fata tui generis: legi ipse animoque notavi
et referam, ne sis etiamnum ignara futuri.
Hic sua complevit, pro quo, Cytherea, laboras,
tempora perfectis, quos terrae debuit, annis.

◆ **800 praemonitus, -ūs** (m.) Warnungen (Subj.!) | **potuēre** ~ *potuerunt* | **stringere, stringō, strīnxī, strictum** ziehen, zücken | **feruntur** man sagt ◆ **801 templum** hier: die (geweihte) Kurie des Pompeius ◆ **802 dīrus** unheilvoll ◆ **803 pectus percutere** sich die Brust schlagen (ein Zeichen von Trauer) ◆ **804 Aeneadēs** Spross des Aeneas (Caesar) | **mōlīrī** ~ *studere* | **condere** hier: verbergen | **nūbēs** →V | **īnfēstus** feindselig ◆ **806 Diomēdēos** ~ Diomedis | **ēnsis** →V ◆ **807 tālibus hanc genitor** ~ *talia verba pater filiae dixit* | **sōla** präd. | **īnsuperābilis** unentrinnbar ◆ **808 nāta** →V | **movēre** hier: abändern | ordne *licet* ⟨*ut*⟩ *intrēs* | **sorōrēs** die Parzen ◆ **809 f.** ordne *cernēs tabulāria rērum mōlīmine vāstō* (von gewaltigem Bau) *ex aere et solidō ferrō* ◆ **810 solidus** stabil | **tabulārium rērum** Archiv der Schicksale ◆ **811 caeli concursus, -ūs** (m.) Donner ◆ **812** ⟨, *quia*⟩ **tūta atque aeterna** ⟨*sunt,*⟩ | **ruīna** hier: Zerstörung ◆ **813 incīdere** hier: einritzen | **adamās, -ntis** (m.) Stahl (⟨*in*⟩ *adamante*) | **perennis** dauerhaft ◆ **814 animō notāre** sich einprägen ◆ **815 nē etiamnum** damit nicht länger ◆ **816 hic, quō** (gemeint ist Caesar) ◆ **816 f. sua … tempora**

Ut deus accedat caelo templisque colatur,
tu facies natusque suus, qui nominis heres
impositum feret unus onus caesique parentis
nos in bella suos fortissimus ultor habebit.
Illius auspiciis obsessae moenia pacem
victa petent Mutinae, Pharsalia sentiet illum,
Emathiique iterum madefient caede Philippi,
et magnum Siculis nomen superabitur undis,
Romanique ducis coniunx Aegyptia taedae
non bene fisa cadet, frustraque erit illa minata,
servitura suo Capitolia nostra Canopo.
Quid tibi barbariam gentesque ab utroque iacentes
oceano numerem? Quodcumque habitabile tellus
sustinet, huius erit: pontus quoque serviet illi!
Pace data terris animum ad civilia vertet
iura suum legesque feret iustissimus auctor

◆ **818 deus** präd. | **accēdere** + Dat. hier: gelangen ◆ **819 faciēs** Verb! | **nātus suus** (gemeint ist Augustus) | **hērēs, -ēdis** (m.) Erbe ◆ **819 f.** ordne *ūnus nōminis hērēs* (präd.) ◆ **820 f.** ordne *et* ⟨*qui*⟩ *fortissimus ultor* (präd.) *caesī parentis nōs suōs … habēbit* ◆ **821 suōs** hier: auf seiner Seite | **ultor, -ōris** (m.) Rächer ◆ **822 auspicium** Oberbefehl (poet. Pl.) ◆ **823 victa petent** ~ *vincentur et petent* | **sentīre** hier: jds. Macht zu spüren bekommen ◆ **824 Ēmathius** Adj. zu *Emathia* | **iterum** (Anspielung auf Caesars Sieg bei Pharsalos, geographisch nicht ganz korrekt) | **madefierī** besudelt werden ◆ **825 magnum nōmen** (gemeint ist Sextus Pompeius) | **Siculus** Adj. zu *Sicilia* | ⟨*in*⟩ **undīs** (Bez. auf die Seeschlacht bei Mylae) ◆ **826 coniūnx Aegyptia** Cleopatra ◆ **826 f. taedae fīsa** im Vertrauen auf ihre Ehe ◆ **827 nōn bene** nicht gerade mit Erfolg (Ironie) | **minārī** drohen ◆ **828 servitūra** ⟨*esse*⟩ ◆ **829 quid** hier: wozu? | **barbaria, -ae** Barbarenländer ◆ **829 f. ab utrōque … ōceanō** »an beiden Meeren«: im Osten und im Westen ◆ **830 quodcumque habitābile** welchen bewohnbaren Ort auch immer ◆ **831 sustinēre** ~ *tenere* | **pontus** → V

◆ **832 f. cīvīlia iūra** bürgerliches Recht ◆ **833 ferre** hier: einbringen | **auctor** präd.

exemploque suo mores reget inque futuri
temporis aetatem venturorumque nepotum
prospiciens prolem sancta de coniuge natam
ferre simul nomenque suum curasque iubebit,
nec nisi cum senior Pylios aequaverit annos,
aetherias sedes cognataque sidera tanget.
Hanc animam interea caeso de corpore raptam
fac iubar, ut semper Capitolia nostra forumque
divus ab excelsa prospectet Iulius aede!«
Vix ea fatus erat, media cum sede senatus
constitit alma Venus nulli cernenda suique
Caesaris eripuit membris nec in aëra solvi
passa recentem animam caelestibus intulit astris,
dumque tulit, lumen capere atque ignescere sensit
emisitque sinu: luna volat altius illa
flammiferumque trahens spatioso limite crinem
stella micat natique videns bene facta fatetur
esse suis maiora et vinci gaudet ab illo.

◆ **834 regere** hier: regeln, neu ordnen ◆ **835 nepōs, -ōtis** (m.) Enkel ◆ **836 prōspicere** voraussehen | **prōlēs** →V (gemeint ist Tiberius) | **sānctus** hier: rein | **coniūnx** (gemeint ist Livia) ◆ **838 senior** präd. | **Pyliōs annōs aequāre** dem Nestor an Jahren gleichkommen ◆ **839 aetherius** himmlisch | **cōgnāta sīdera** den Stern Caesars (poet. Pl.) ◆ **840 f. hanc animam** ⟨*Caesaris*⟩ … **raptam** (~ *rape et*) **fac iubar** | **841 iubar, -aris** (n.) Stern ◆ **842 excelsus** erhaben | **prōspicere** in der Ferne erblicken

◆ **843 ea** (gemeint ist Venus) | **sēde senātūs** ~ *in curia* ◆ **844 almus** hier: gütig | **nūllī cernenda** ~ *nullo cernente* ◆ **845 f.** ordne *ēripuit membrīs Caesaris animam recentem nec in aëra solvī passa ⟨est et⟩ intulit* ◆ **847 dum** ⟨*eam*⟩ **tulit** | **lūmen capere** aufleuchten | **īgnēscere, īgnēscō** erglühen ◆ **848 sinus, -ūs** (m.) Brust | **lūnā**! | **illa** ⟨*anima*⟩ ◆ **849 flammifer crīnis** leuchtender Schweif | **spatiōsus** weit | **līmes** hier: Himmelsbahn ◆ **850 micāre** funkeln, blinken | **nātus** →V ◆ **850 f.** ordne ⟨*Venus*⟩ *bene facta nātī vidēns fatētur ⟨facta⟩ māiōra esse suīs*

21. Epilog (15,871–879)

Der Dichter verabschiedet sich.

Iamque opus exegi, quod nec Iovis ira nec ignis
nec poterit ferrum nec edax abolere vetustas.
Cum volet, illa dies, quae nil nisi corporis huius
ius habet, incerti spatium mihi finiat aevi:
parte tamen meliore mei super alta perennis
astra ferar, nomenque erit indelebile nostrum,
quaque patet domitis Romana potentia terris,
ore legar populi, perque omnia saecula fama,
siquid habent veri vatum praesagia, vivam.

◆ **872 edāx** nagend, verzehrend | **abolēre** vernichten, zerstören | **vetustās, -atis** < *vetus* ◆ **873 f. corporis huius … iūs** Anrecht auf diesen Körper ◆ **874 incertī spatium aevī** ungewisse Frist des Lebens (Enallage) ◆ **875 pars melior meī** der bessere Teil von mir (die Seele) | **perennis** ewig ◆ **876 indēlēbilis** unzerstörbar, -vergänglich ◆ **877 domāre** unterwerfen, bezwingen ◆ **879 sī** ⟨*ali*⟩**quid vērī habent** wenn etw. Wahres ist an | **vātēs, -is** (m.) Seher, Dichter | **praesāgium** Vorahnung, Weissagung

Anhang

Abkürzungen und Symbole

Abl.	Ablativ
AcI	Accusativus cum infinitivo
Adj.	Adjektiv
Adv.	Adverb
advers.	adversativ
Akk.	Akkusativ
Akt.	Aktiv
arch.	archaisch
Bez.	Bezug
Dat.	Dativ
Dekl.	Deklination
dicht.	dichterisch
eigentl.	eigentlich
ENV	Eigennamenverzeichnis
erg.	ergänze
f./Fem.	Femininum
Fut.	Futur
Gen.	Genitiv
geogr.	geographisch
griech.	griechisch
im Dt.	im Deutschen
Impf.	Imperfekt
Ind.	Indikativ
jdm.	jemandem
jdn.	jemanden
jds.	jemandes
koll.	kollektiv
Komp.	Komparativ
Konj.	Konjunktiv
konz.	konzessiv
m./Mask.	Maskulinum
milit.	militärisch
n./Neutr.	Neutrum
Nom.	Nominativ
örtl.	örtlich
Pass.	Passiv
Perf.	Perfekt
Pl.	Plural
poet.	poetisch
präd.	prädikativ
Präs.	Präsens
Sg.	Singular
sog.	sogenannt
übers.	übersetze
V	Lernwortschatz
Vgh.	Vergangenheit
Vok.	Vokativ
wg.	wegen
<	abzuleiten aus
~	entspricht
↔	ist das Gegenteil von
→	siehe

Lernwortschatz

admovēre, -moveō, -mōvī, -mōtum (ad+movēre)	heranbewegen, näherrücken
aequor, -oris (n.)	Wasser, Wasserfläche, Meer
aethēr, -eris (m.)	Himmel, oberer Luftraum, Wohnsitz der Götter
aevum, -ī (n.)	lange Zeit, Ewigkeit; Zeitalter; Lebensalter
āla, -ae (f.)	Flügel (des Vogels)
ambō, -ae, -ō	beide (zusammen)
arcus, -ūs (m.)	Bogen; Regenbogen
artus, -ūs (m.)	Gelenk, Pl.: Gliedmaßen; Körper
arvum, -ī (n.)	Ackerland, Saatfeld; Gegend
bra(c)chium, -ī (n., meist Pl.)	(Unter-)Arm; Vorderbein
cacūmen, -inis (n.)	Gipfel, Spitze, Baumwipfel
candidus, -a, -um	weiß; schimmernd
capillus, -ī (m.), meist Pl.	(Haupt-)Haar (des Menschen)
carpere, carpō, carpsī, carptum	(zer)pflücken, abbrechen; zurücklegen
cēra, -ae (f.)	Wachs
cervīx, -īcis (f.)	Nacken, Hals
coīre, coeō, coiī, coitum	zusammenkommen, sich treffen
collum, -ī (n.)	Hals, Nacken
coma, -ae (f.)	(Haupt-)Haar; Laub, Blätter
cornū, -ūs (n.)	Horn; Pl.: Bogen
crīnis, -is (m.)	Haar, Haupthaar
digitus, -ī (m.)	Finger; Zeh
ebur, -oris (n.)	Elfenbein
ēnsis, -is (m.)	Schwert
fax, facis (f.)	Kienspan; (Hochzeits-)Fackel
fētus, -ūs (m.)	Trieb, Spross; Frucht; Kind
figūra, -ae (f.)	äußere Gestalt, Form; Schönheit
flāvus, -a, -um	goldgelb; blond
fōrmōsus, -a, -um	wohlgestaltet, schön, reizvoll
frōns, frondis (f.)	Laub; Laubkranz
frūx, frūgis (f.)	Frucht (der Erde); Ertrag

gelidus, -a, -um	(eis)kalt, frisch; starr
geminus, -a, -um	doppelt, zweifach; zwei; Subst. Zwilling
gena, -ae (f.)	Wange
gener, -ī (m.)	Schwiegersohn
genitor, -ōris (m.)	Vater
gurges, gurgitis (m.)	Abgrund, Tiefe (eines Gewässers); reißende Strömung
harundō, -inis (f.)	Schilfrohr; Rohrstab; Angel; Schaft; Hirtenflöte
lacertus, -ī (m.)	(Ober-)Arm
laniāre	zerfetzen, zerreißen; zerkratzen
lētum, -ī (n.)	Tod
levāre	erleichtern; emporschwingen; sich aufrichten; herunterheben
liquidus, -a, -um	flüssig, fließend; klar
lūmen, -inis (n.)	Licht; Augenlicht, Auge
miserārī	beklagen, bedauern; sich erbarmen
mītis, -e	sanft, friedfertig, zahm; gnädig
mollīre, molliō (< mollis)	weich machen
mox (Adv.)	bald (darauf)
murmur, -uris (n.)	Murmeln, Gemurmel; Rauschen, Brausen, Summen
nāta, -ae (f.)	Tochter
nātus, -ī (m.)	Sohn; Kind
niveus, -a, -um	Schnee-; schneeweiß
nūbēs, -is (f.)	Wolke
nympha, -ae / nymphē, -ēs (f.)	Nymphe
ōsculum, -ī (n.)	Kuss; Gesicht
palma, -ae (f.)	Handfläche; Dattel; Siegespreis
pāscī, pāscor, pāstus sum	sich nähren von, weiden; sich weiden an
pāstor, -ōris (m.)	Hirte
pendēre, pendeō, pependī	hängen, herabhängen; schweben
pendere, pendō, pependī, pēnsum	beurteilen, schätzen; büßen
penna, -ae (f.)	Feder, Gefieder; Flügel

percutere, -cutiō, -cussī, -cussum	durchbohren, treffen; heftig schlagen, erschüttern
pōmum, -ī (n.)	Frucht, bes. Apfel; Pl.: Obst
pontus, -ī (m.)	Meer
prōlēs, -is (f.)	Sprössling, Nachkommenschaft; Brut
quamvīs (+ Konj.)	wie sehr auch, mag auch; obwohl
quamvīs (Adv.)	beliebig, noch so
quondam (Adv.)	einst
rāmus, -ī (m.)	Ast, Zweig
recipere, -cipiō, -cēpī, -ceptum	vernehmen, hören
rubor, -ōris (m.)	(Zornes-, Scham-)Röte
sagitta, -ae (f.)	Pfeil
sēmen, -inis (n.)	Same, Samenkorn; Aussaat
sīdus, -eris (n.)	Stern, Sternbild
silēre, sileō, siluī	schweigen, still sein; ruhen
spernere, spernō, sprēvī, sprētum	verschmähen, zurückweisen
stāgnum, -ī (n.)	Teich, Gewässer
stupēre, stupeō, stupuī	staunen; stillstehen; betäubt sein
Stygius, -a, -um	stygisch, unterweltlich; unheilvoll
superī (dei) (m.)	himmlische Götter, Götter der Oberwelt
supplex, -icis	auf Knien, demütig; flehend
taurus, -ī (m.)	Stier
tener, -era, -erum	zart, jung
tenuis, -e	dünn, fein, zart; schlank
timidus, -a, -um	furchtsam, ängstlich
tingere, tingō, tīnxī, tīnctum	bestreichen, befeuchten; färben
torus, -ī (m.)	Muskel; Polster; (Ehe-)Bett; Ehe
totidem (quot)	ebenso viele (wie)
ūrere, ūrō, ussī, ustum	(ver)brennen; entflammen; austrocknen, versengen
vēna, -ae (f.)	Ader; Metallader
vēr, vēris (n.)	Frühling
volucris, -is (f.)	Vogel

Verzeichnis der Eigennamen

Aegidēs, -ae (m.) Theseus, Sohn des Königs Aegeus von Athen.
Aenēās, -ae (m.) Sohn des Anchises und der Venus, Vater des Julus.
Aeolus, -ī (m.) König in Thessalien. Vater der von Neptun verführten Canace.
Aesculāpius, -ī (m.) Gott der Heilkunde.
Agēnōr, -oris (m.) König von Phönizien, Vater der Europa.
Alcmēnē, -ēs (f.) Alkmene, Gattin des Amphitryon. Gebar Jupiter den Herkules.
Alōīdae, -ārum (m.) Otus und Ephialtes, die Söhne des Neptun und der Iphimedia, so benannt nach Iphimedias Mann Aloeus.
Alphēnōr, -oris (m.) Fünfter Sohn der Niobe und des Amphion.
Alphēus, -ī (m.) Flussgott, Geliebter der Arethusa. Fluss in Elis.
Amor, -ōris (m.) Sohn der Venus, Gott der Liebe; auch Cupido genannt. Seine Pfeile erzeugen in den getroffenen Menschen glühende Liebe oder tiefe Abneigung.
Amphīōn, -onis (m.) Sohn des Jupiter und der Antiope, König von Theben, Gemahl der Niobe. Durch sein Saitenspiel fügten sich beim Bau der Stadtmauern die Steine von selbst zusammen.
Amphitryōn, -ōnis (m.) König von Theben, Gatte der Alkmene.
Anāpis, -is (m.) Gemahl der Cyane. Fluss bei Syrakus.
Antigonē, -ēs (f.) Antigone, Tochter des trojanischen Königs Laomedon. (Nicht zu verwechseln mit der gleichnamigen Tochter des Ödipus, des Königs von Theben.)
Āonia, -ae (f.) Böotien, Landschaft in Mittelgriechenland.
Āonidēs, -um (f.) Die neun Musen.
Apollō, -inis (m.) Sohn des Jupiter und der Latona, Bruder der Diana. Gott der Künste und Wissenschaften, Anführer der neun Musen. Sonnengott, Orakelgott (Delphi). Attribute: Bogen, Leier; der Lorbeer ist ihm heilig.
Arachnē, -ēs (f.) Weberin aus Kleinasien, die nach einem Wettstreit mit Minerva in eine Spinne verwandelt wurde.
Arethūsa, -ae (f.) Quellnymphe, Geliebte des Alpheus, ursprünglich aus Pisa in Griechenland stammend. Quelle bei Syrakus.
Āsōpis, -idis (f.) Ägina, Tochter des Flussgottes Asop.
Asteriē, -ēs (f.) Schwester der Latona. Floh vor Jupiter, der ihr in Adlergestalt nachstellte, und wurde in eine Wachtel verwandelt.

Astraea, -ae (f.) Jungfräuliche Göttin der Gerechtigkeit.
Atlantiadēs, -ae (m.) Bezeichnung für männliche Nachkommen des Atlas, z. B. seinen Enkel Merkur.
Atlās, -antis (m.) Träger des Himmelsgewölbes. Vater der Hesperiden, Plejaden und Hyaden, Großvater der Niobe.
Atrida, -ae (m.) Nachfahre des Atreus von Mykene: Menelaos.
Aurōra, -ae (f.) Göttin der Morgenröte, die jeden Morgen aus dem Meer aufsteigt.
Avernus, -ī / Avernus lacus (m.) Avernersee. An diesem See bei Cumae in Unteritalien wurde der Sage nach ein Eingang zur Unterwelt vermutet.

Babylōn, -ōnis (f.) Stadt am Euphrat.
Bacchae, -ārum (f.) Bacchantinnen, Anhängerinnen des Bacchus.
Bacchiadae, -ārum (m.) Herrschergeschlecht in Korinth, gründete nach der Vertreibung aus Korinth die Stadt Syrakus.
Bacchus, -ī (m.) Gott des Weines.
Baucis, -idis (f.) Gattin des Philemon.
Bēlides, -um (f.) Beliden, die 50 Enkelinnen des Belus. Besser bekannt als Danaiden (= Töchter des Danaus). 49 von ihnen ermordeten in der Hochzeitsnacht ihre Gatten und mussten als Strafe in der Unterwelt Wasser in ein löchriges Fass schöpfen.
Bīsaltis, -idis (f.) Theophane, Tochter des Bisaltes.
Boōtēs, -is (m.) Ochsentreiber, Bärenhüter (Sternbild im Norden).

Cadmus, -ī (m.) Kadmus, Bruder der Europa, Gründer von Theben.
Calydōn, -ōnis (f.) Stadt in Ätolien, Nordwestgriechenland. Sitz des Diomedes.
Calymnē, -ēs (f.) Insel in der Ägäis.
Canōpus, -ī (m.) Ägypten (nach einer Stadt im Nildelta).
Capitōlium, -ī (n.) Kapitol, einer der sieben Hügel Roms.
Caystros, -ī (m.) Fluss in Ionien.
Cecrops, -opis (m.) Gründer von Athen, König von Attika.
Cēphīsus, -ī (m.) Flussgott, Vater des Narcissus. Fluss am Parnass.
Cerberus, -ī (m.) Kerberus / Zerberus. Hund mit drei Köpfen, der den Eingang zur Unterwelt bewachte. Herkules entführte ihn im Rahmen seiner zwölften Aufgabe in Fesseln an die Oberwelt.

Cerēs, -eris (f.) Göttin des Wachstums und der Fruchtbarkeit, Mutter der Proserpina.

Charōn, -ontis (m.) Fährmann in der Unterwelt, der die Toten über den Styx setzt.

Chīrō, -ōnis (m.) Sohn des Saturnus und der Philyra, ein Kentaur (halb Mensch, halb Pferd).

Cicones, -um (m.) Kikoner, Volk in Thrakien.

Cinyrās, -ae (m.) König von Assyrien. Juno verwandelte seine Töchter in Tempelstufen.

Claros, -ī (f.) Stadt in Ionien mit Orakel des Apoll.

Cleopatra, -ae (f.) Königin von Ägypten. Geliebte Caesars, später Gattin des Marcus Antonius.

Coeus, -ī (m.) Titan, Vater der Latona.

Colophōn, -ōnis (f.) Stadt an der Küste Lydiens.

Corinthus, -ī (f.) Griechische Stadt am Isthmus mit Zugang zum Golf von Korinth und zum Saronischen Golf.

Corycidae Nymphae (f.) Corykische Nymphen, Bewohnerinnen einer Grotte auf dem Parnass.

Crētē, -ēs (f.) Kreta, Insel im östlichen Mittelmeer.

Cupīdō, -inis (m.) → Amor.

Cyanē, -ēs (f.) Quellnymphe. Kann die Entführung der Proserpina nicht verhindern und verwandelt sich aus Gram in eine Quelle.

Cynthus, -ī (m.) Kynthus, Berg auf Delos. Geburtsstätte des Apoll und der Diana.

Cyprus, -ī (f.) Zypern, Insel im östlichen Mittelmeer.

Cytherea, -ae (f.) Venus (nach ihrer Kultstätte auf der Insel Cythera).

Cytōriacus mōns (m.) Kytorus, Berg in Paphlagonien, bekannt für seine Buchsbaumbepflanzung.

Daedalus, -ī (m.) Erfinder aus Athen, Erbauer des Labyrinths auf Kreta. Vater des Ikarus.

Damasichthōn, -onos (m.) Sechster Sohn der Niobe und des Amphion.

Danaē, -ēs (f.) Tochter des Akrisius. Zeus verführt sie in Gestalt goldenen Regens und zeugt mit ihr den Perseus.

Daphnē, -ēs (f.) Nymphe, Tochter des Flussgottes Peneus, erste Liebe des Apoll.

Dardanus, -ī (m.) Sohn des Jupiter, Ahnherr der Trojaner.

Dēlius, -ī (m.) Beiname des Apoll (s. Delos).

Dēlos, -ī (f.) Insel in der Ägäis. Der Sage nach ursprünglich schwimmend, erst seit der Geburt des Apoll und der Diana auf der Insel an einem festen Ort verankert.

Delphī, -ōrum (m.) Ort am Fuß des Parnass mit Apoll geweihter Orakelstätte.

Dēōis, -idis (f.) Proserpina. Von Zeus in Schlangengestalt verführt gebar sie den Zagreus.

Deucaliōn, -ōnis (m.) Deukalion, Sohn des Prometheus. Überlebte mit seiner Gattin Pyrrha die von Jupiter verursachte Sintflut.

Dīa, -ae (f.) Alter Name der Insel Naxos.

Diāna, -ae (f.) Göttin der Jagd. Tochter der Latona, Schwester des Apoll.

Dicta, -ae (f.) Berg auf Kreta.

Diomēdēs, -is (m.) Sohn des Tydeus. Held vor Troja, verwundete dort Venus und Amor.

Diōnē, -ēs (f.) Eine der Plejaden, der Töchter des Atlas. Mutter der Niobe.

Dīs, Dītis (m.) Pluto, der Gott der Unterwelt.

Ēlis, -idis (f.) Landschaft im Nordwesten der Peloponnes.

Ēmathia, -ae (f.) Makedonien.

Enīpeus, -eī (m.) Fluss in Thessalien.

Epimētheus, -ī (m.) Vater der Pyrrha, Bruder des Prometheus.

Erebus, -ī (m.) Sohn des Chaos, Gott der unterirdischen Finsternis. Bezeichnung für Unterwelt, Totenreich.

Ērigonē, -ēs (f.) Tochter des Atheners Ikarus, von Bacchus verführt.

Erycīna, -ae (f.) Beiname der Venus, nach ihrem Tempel am Eryx.

Eryx, -ycis (m.) Berg im Nordwesten Siziliens.

Eumenides, -um (f.) Die Rachegöttinnen, Furien.

Eumolpus, -ī (m.) Thrakier. Stifter der eleusinischen Mysterien.

Eurydicē, -ēs (f.) Eurydike, Gattin des Orpheus.

Faunus, -ī (m.) Faun, weissagender Gott des Waldes.

Fortūna, -ae (f.) Göttin des Glücks und des Schicksals.

Haemus, **-ī** (m.) Wurde wegen des inzestuösen Verhältnisses mit seiner Schwester Rhodope in ein Gebirge verwandelt. Gebirge im Nordosten Thrakiens (Balkan).

Hecatē, **-ēs** (f.) Göttin der Zauberei.

Hēliades, **-um** (f.) Töchter des Sonnengottes Helios. Nach dem Tod ihres Bruders Phaëton in Pappeln verwandelt. Die Tränen ihrer Trauer wurden zu Bernstein.

Helicē, **-ēs** (f.) Der Große Bär (Sternbild).

Henna, **-ae** (f.) Stadt auf Sizilien, Kultort der Ceres.

Hesperides, **-um** (f.) Töchter des Atlas, Hüterinnen eines Baumes mit goldenen Äpfeln.

Hesperus, **-ī** (m.) Abendstern.

Hyades, **-um** (f.) Hyaden, Töchter des Atlas. Eine von ihnen war die Mutter der Niobe.

Hymēn, **-enis** / **Hymenaeus**, **-ī** (m.) Gott der Ehe.

Hymēttus, **-ī** (m.) Berg südlich von Athen, berühmt für Honig und Marmor.

Hypaepa, **-ōrum** (n.) Kleinstadt in Lydien.

Īcarus, **-ī** (m.) Sohn des Dädalus.

Idē, **-ēs** (f.) Quellenreiches Waldgebirge in Phrygien.

Idmōn, **-onis** (m.) Vater der Arachne.

Īlion, **-ī** (n.) Poetischer Name für Troja.

Īlioneus, **-ī** (m.) Jüngster Sohn der Niobe und des Amphion.

Indiges, **-etis** (m.) Stammvater (meist Aeneas).

Ismēnus, **-ī** (m.) Ältester Sohn der Niobe und des Amphion. Bach bei Theben.

Issa, **-ae** (f.) Tochter des Makareus von Lesbos. Apoll verführte sie in Hirtengestalt.

Iuba, **-ae** (m.) König von Numidien.

Iūlus, **-ī** (m.) Sohn des Aeneas, Gründer von Alba Longa, Stammvater der *gens Iulia*.

Iūnō, **-ōnis** (f.) Tochter des Saturnus, Schwester und Gemahlin Jupiters. Nach dem Schiedsspruch des Paris im Schönheitswettbewerb der Göttinnen hasste sie alle Trojaner.

Iuppiter, **Iovis** (m.) Jupiter, höchster Gott. Sohn des Saturnus, Bruder des Neptun und des Pluto, Bruder und Gemahl der Juno.

Ixīōn, -onis (m.) König der Lapithen. Er wurde wegen eines Frevels an Juno in der Unterwelt auf ein ewig wirbelndes Rad geflochten.

Lāomedōn, -ontis (m.) König von Troja, Vater der Antigone.
Lātōna, -ae (f.) Mutter des Apoll und der Diana, die sie auf der Insel Delos zur Welt brachte, da alle Länder ihr aus Furcht vor der eifersüchtigen Juno die Aufnahme verwehrten.
Laurēns, -ntis (Adj.) von Laurentum, latinisch.
Lebinthos, -ī (f.) Insel in der Ägäis.
Lēda, -ae (f.) Gattin des Königs Tyndareus. Von Jupiter in Schwanengestalt verführt gebar sie Helena, Castor und Pollux.
Lēthaea, -ae (f.) Gattin des Olenus. Sie hielt sich für schöner als eine Gottheit und wurde dafür in eine Steinsäule verwandelt.
Līber, -erī (m.) Bacchus.
Līriopē, -ēs (f.) Wassernymphe, Mutter des Narcissus.
Lūcifer, -ferī (m.) Morgenstern, Planet Venus.
Lycia, -ae (f.) Lykien. Landschaft im südwestlichen Kleinasien.
Lȳdia, -ae (f.) Lydien. Landschaft im westlichen Kleinasien.

Macarēïs, -idis (f.) Issa, Tochter des Makareus.
Maeandrus, -drī (m.) Fluss in Kleinasien, berühmt für seine vielen Windungen.
Maeonia, -ae (f.) Älterer Name für Lydien.
Māia, -as (f.) Eine der Plejaden, Mutter des Merkur.
Mantō, -ūs (f.) Tochter des Tiresias, Seherin.
Mārs, Mārtis / Māvors, Māvortis (m.) Gott des Krieges.
Medūsa, -ae (f.) Eine der Gorgonen, der drei schlangenhaarigen Töchter des Phorkys. Medusas Blick soll die Menschen versteinert haben. Perseus schlug Medusa den Kopf ab, aus ihrem Blut entsprang der Pegasus.
Melanthō, -ūs (f.) Tochter des Deukalion, von Neptun verführt.
Menelāus, -ī (m.) König von Sparta, Gatte der Helena.
Mercurius, -ī (m.) Götterbote. Sohn des Jupiter, Enkel des Atlas.
Midās, -ae (m.) König von Phrygien.
Minerva, -ae (f.) Jungfräuliche Göttin der Weisheit. Tochter des Jupiter. Der Ölbaum war ihr heilig.
Mīnōis, -idis (f.) Ariadne, Tochter des Minos.

Mīnōs, -ōis (m.) Sohn des Zeus und der Europa, Gatte der Pasiphaë, Vater der Ariadne; König auf Kreta.
Mithridātēs, -tis (m.) Name der Könige von Pontus.
Mnēmosynē, -ēs (f.) Göttin der Erinnerung. Sie und Jupiter sind Eltern der neun Musen.
Mutina, -ae (f.) Modena, Stadt in Oberitalien.

Narcissus, -ī (m.) Sohn des Cephisus und der Liriope. Verliebte sich in sein eigenes Spiegelbild.
Nāiadēs, -um (f.) Wassernymphen, Najaden.
Nemesis, -is (f.) Göttin der Rache und Vergeltung.
Neptūnus, -ī (m.) Gott des Meeres.
Nīlus, -ī (m.) Fluss in Ägpyten.
Ninus, -ī (m.) Gatte der Semiramis, Gründer des assyrischen Reiches.
Niobē, -ēs (f.) Niobe, eine Phrygierin. Tochter des Tantalus und der Atlastochter Dione, Gattin des Amphion von Theben. Sie wurde wegen der Beleidigung der Göttin Latona mit dem Verlust aller ihrer Kinder bestraft und in Stein verwandelt.
Numīcius, -ī (m.) Fluss in Latium.
Numida, -ae (m.) Einwohner von Numidien (Nordafrika).
Nyctēis, -idis (f.) Antiope, die Tochter des Nykteus. Gebar dem Jupiter die Zwillinge Amphion und Zethos.

Ōlenos, -ī (m.) Gatte der Lethaia. Wurde mit ihr zusammen in Steinsäulen verwandelt.
Oriēns, -entis (m.) Osten, Morgenland, Orient.
Ōrīōn, -ōnis (m.) Sohn des Neptun. Sternbild.
Orpheus, -eī (m.) Thrakischer Sänger, Gatte der Eurydike.
Ortygia, -ae (f.) Stadtteil von Syrakus.

Pactōlus, -ī (m.) Goldführender Fluss in Lydien, entspringt auf dem Tmolusgebirge.
Paeān, -ānis (m.) Beiname verschiedener Heilgötter, z. B. des Apoll.
Palīcī, -ōrum (m.) Zwillingsbrüder, Söhne des Jupiter. Kultstätte bei einem See bei Palica auf Sizilien.
Pallas, -adis (f.) Beiname der Athene.

Paphos, -ī (f.) Tochter des Pygmalion.

Parcae, -ārum (f.) Parzen, Göttinnen des Schicksals.

Paris, -idis (m.) Sohn des trojanischen Königs Priamos, Entführer der Helena. Venus entzog ihn vor Troja in einer Wolke dem Kampf mit Menelaos.

Parnās(s)us, -ī (m.) Parnass, Gebirge bei Delphi, Sitz des Apoll und der neun Musen.

Paros, -ī (f.) Insel in der Ägäis, für ihren Marmor bekannt.

Patara, -ōrum (n.) Stadt in Lykien mit Orakel des Apoll.

Pēnēus, -ī (m.) Flussgott, Vater der Daphne.

Pergus, -ī (m.) Tiefer See auf Sizilien, bei Henna gelegen.

Persephonē, -ēs (f.) Proserpina.

Phaedimus, -ī (m.) Dritter Sohn der Niobe und des Amphion.

Pharsālia, -ae (f.) Gebiet um den Ort Pharsalos in Thessalien.

Philēmōn, -onis (m.) Gatte der Baucis.

Philippī, -ōrum (m.) Stadt in Makedonien. 42 v. Chr. Ort der Schlacht zwischen Oktavian und den Caesarmördern Brutus und Cassius.

Phōcaea, -ae (f.) Stadt an der ionischen Küste, bekannt als Purpurlieferant.

Phoebē, -ēs (f.) Beiname der Diana.

Phoebus, -ī (m.) Beiname des Apoll.

Phrygia, -ae (f.) Phrygien. Landschaft im mittleren Kleinasien.

Pīsa, -ae (f.) Stadt in Elis (Peloponnes), Heimat der Arethusa.

Plēiades, -um (f.) Plejaden, sieben Töchter des Atlas und der Pleione. Als Sternbild an den Himmel versetzt.

Plūtō, -ōnis (m.) Gott der Unterwelt, die ihm bei der Dreiteilung der Welt durch das Los zufiel. Bruder Jupiters. Entbrannte in Liebe zu Proserpina und entführte sie in die Unterwelt.

Pontus, -ī (m.) Landschaft im nördlichen Kleinasien am Schwarzen Meer.

Promētheus, -ī (m.) Stahl den Göttern das Feuer und belebte damit selbst erschaffene Menschen aus Ton.

Prōpoetides, -um (f.) Mädchen auf Zypern. Wurden wegen der Leugnung der Göttlichkeit der Venus zu Stein verwandelt.

Prōserpina, -ae (f.) Tochter der Ceres und des Jupiter, von Pluto in die Unterwelt entführt.

Pygmaeī, -ōrum (m.) Pygmäen, mythisches Zwergenvolk in Afrika.

Pylius, -ī (m.) Nestor, König von Pylos. Für sein hohes Alter sprichwörtlich bekannt.

Pȳramus, -ī (m.) Junger Mann aus Babylon, heimlicher Geliebter der Thisbe.

Pyrrha, -ae (f.) Tochter des Epimetheus und der Pandora, Gemahlin des Deukalion.

Pȳthōn, -ōnis (m.) Riesenschlange, von Apoll getötet.

Quirīnus, -ī (m.) Beiname des Romulus nach seiner Vergöttlichung.

Rhamnūsia, -ae (f.) Nemesis (nach ihrer Kultstätte in Rhamnus in Attika).

Rhodopē, -ēs (f.) Rhodope und ihr Bruder Haemus lebten in Blutschande und nannten sich Juno und Jupiter. Sie wurden in Gebirge verwandelt. Rhodopegebirge (im westlichen Thrakien), Heimat des Orpheus.

Samos, -ī (f.) Insel vor der Küste Ioniens.

Sardēs, -ium (f.) Hauptstadt von Lydien.

Sāturnia, -ae (f.) Juno, Tochter des Saturn.

Sāturnius, -ī (m.) Sohn des Saturn – Pluto oder Jupiter.

Sāturnus, -ī (m.) Altitalischer Saatgott im goldenen Zeitalter, von Jupiter entthront.

Satyrī, -ōrum (m.) Satyrn, Begleiter des Bacchus mit Hörnern und Bocksfüßen.

Semīramis, -idis (f.) Der Sage nach Begründerin von Babylon. Ihr werden die Hängenden Gärten, eines der sieben Weltwunder, zugeschrieben.

Sicānia, -ae (f.) Sizilien.

Sīdōn, -ōnis (f.) Älteste Stadt Phöniziens, berühmt für die Herstellung von Purpurfarbe.

Sīlēnus, -ī (m.) Erzieher und Begleiter des Bacchus, ein Satyr.

Sipylus, -ī (m.) Gebirge in Lydien. Auch Name des zweiten Sohnes der Niobe und des Amphion.

Sīsyphus, -ī (m.) Sohn des Aeolus, König von Korinth. Wegen seiner Frevel war er dazu verdammt, in der Unterwelt einen Felsblock eine Anhöhe hinaufzuwälzen, der immer wieder herabrollte (daher ›Sisyphusarbeit‹).

Styx, Stygis (f.) Fluss in der Unterwelt.

Taenara, -ōrum (n.) Vorgebirge in Lakonien an der Südspitze der Peloponnes, Eingang zur Unterwelt.

Tantalus, -ī (m.) Sohn des Jupiter, Vater der Niobe. Er durfte mit den Göttern speisen, schlachtete jedoch seinen Sohn und setzte ihn den Göttern zum Mahl vor. Als Strafe für seinen Frevel musste er in der Unterwelt ewig Hunger und Durst leiden (daher ›Tantalusqualen‹).

Tartara, -ōrum (n.) Tartarus (= Unterwelt).

Tenedos, -ī (f.) Insel an der Küste vor Troja.

Themis, -idis (f.) Göttin der ungeschriebenen Gesetze und göttlichen Ordnung mit Kultstätte in Delphi.

Thēseus, -ī (m.) Sohn des Königs Aegeus von Athen. Tötete auf Kreta den Minotaurus und beendete damit die Tributpflicht von 14 Kindern, die Athen als Menschenopfer an Kreta entrichten musste. Er entführte die Königstochter Ariadne und ließ sie dann auf Naxos zurück.

Thisbē, -ēs (f.) Junge Frau aus Babylon, heimliche Geliebte des Pyramus.

Thrācēs, -um (m.) Die Thraker.

Thrācia, -ae (f.) Thrakien. Landschaft nordöstlich von Griechenland.

T(i)mōlus, -ī (m.) Berggott. Gebirge und Stadt in Lydien.

Tīresiās, -ae (m.) Blinder Seher in Theben.

Tīrynthia, -ae (f.) Alkmene, Tochter des Königs Elektryon von Tiryns.

Tītān, -ānis Ein Titan. Oft Bezeichnung für den Sonnengott Helios (lat. *Sol*), Sohn des Titanen Hyperion.

Tītānia, -ae (f.) Bezeichnung für weibliche Nachkommin eines Titanen, z. B. Latona, Diana oder Pyrrha.

Tityos, -ī (m.) Sohn der Gaia. Er wollte Latona entführen und wurde deswegen in der Unterwelt an einen Fels gekettet, wo zwei Geier seine immer wieder nachwachsende Leber zerfraßen.

Trīnacria, -ae (f.) Beiname Siziliens (›die Dreispitzige‹).

Trītōn, -ōnis (m.) Fischleibiger Meergott, Sohn des Neptun (Akk.: *Trītōna*).
Trītōnia, -ae (f.) Beiname der Pallas Athene.
Turnus, -ī (m.) König der Rutuler, Gegner des Aeneas.
Tȳdīdēs, -ae (m.) Diomedes, Sohn des Tydeus.
Typhōeus, -ī (m.) Gigant. Wurde von Jupiter besiegt und unter der Insel Sizilien begraben.
Tyrus, -ī (m.) Phönizische Stadt, berühmt für ihre Purpurfärbereien.

Venus, -eris (f.) Göttin der Liebe, Mutter des Amor.
Victōria, -ae (f.) Göttin des Sieges. Steht auf Darstellungen von Streit beim Sieger.

Prosodie und Metrik

Prosodie ist die Lehre von der Quantität der Silben. Im Gegensatz zum Deutschen, wo man zwischen betonten und unbetonten Silben unterscheidet (akzentuierendes Prinzip), bestehen antike Versmaße aus einer geregelten Abfolge langer und kurzer Silben (quantitierendes Prinzip).

Eine Silbe ist lang (–), wenn

a) sie einen langen Vokal (Naturlänge; hier hilft das Wörterbuch weiter) oder einen Diphthong (*ae*, *oe* etc.) enthält.

b) auf den Silbenvokal zwei oder mehr Konsonanten folgen (sog. Positionslänge; z. B. ***mors***, ***temptant***). Dies gilt auch über Wortgrenzen hinweg (***īn tērram***). Ein *x* zählt als Doppelkonsonant (*x* = *c*, *g* + *s*), *h* wird nicht als Konsonant betrachtet.

Bestimmte Kasus- oder Verbendungen sind immer lang und in den Übersichten der Grammatiken auch entsprechend gekennzeichnet (z. B. *omnēs, puellās, amō*).

Alle anderen Silben sind kurz (◡).

Beachte auch, dass ein Vokal vor einem zweiten Vokal kurz ist, wenn kein Diphthong vorliegt, z. B. *aurĕus*.

Eine Ausnahme liegt vor bei sog. *Muta cum Liquida*: Bei bestimmten Konsonantenverbindungen (*b*/*p*, *g*/*k*, *d*/*t* + *l*, *m*, *n*, *r*; Merkwort: ›Ellermänner‹) kann der vorangehende Vokal kurz oder lang sein (z. B. *patris*).

Nach welchen Prinzipien sich die langen und kurzen Silben abwechseln, erklärt die Verslehre (Metrik). Für die *Metamorphosen* hat Ovid, wie für das Epos üblich, den Hexameter gewählt. Dieses Versmaß besteht aus sechs daktylischen Metien oder Versfüßen (– ◡ ◡). Die ersten vier Daktylen können jeweils durch einen Spondeus (– –) ersetzt werden und lassen so Spielraum für Variation zu. Die erste Hälfte solch eines Versfußes (Länge) nennt man Hebung, die zweite Hälfte (Doppelkürze oder Länge) Senkung. Wenn das fünfte Metrum entgegen der Norm aus einem Spondeus besteht, liegt ein *versus spondiacus* vor. Das letzte Metrum im Hexameter ist um eine Silbe verkürzt (katalektischer Versfuß), die letzte Silbe kann entweder lang oder kurz sein (sog. *syllaba anceps*, von lat. *anceps* ›schwankend‹). Sie wird daher im abstrakten Schema durch ein × gekennzeichnet. Damit ergibt sich folgendes Grundschema für den Hexameter:

$$-\overline{\cup\cup}\,|\,-\overline{\cup\cup}\,|\,-\overline{\cup\cup}\,|\,-\overline{\cup\cup}\,|\,-\cup\cup\,|\,-\times.$$

An bestimmten Stellen im Vers hat der Hexameter Pausen in Form von Wortgrenzen, an denen eine Sinneinheit zu Ende geht und der Sprecher kurz absetzt. Man spricht dann von einer Zäsur (die Pause liegt innerhalb eines Versfußes) oder einer Diärese (die Pause liegt zwischen zwei Versfüßen). Die wichtigsten Zäsuren sind die Trithemimeres nach dem dritten halben Versfuß, also nach der zweiten Hebung ($-\overline{\cup\cup}\,|\,-\,\|\,\overline{\cup\cup}\,|\,-\overline{\cup\cup}\,|\,-\overline{\cup\cup}\,|\,-\cup\cup\,|\,-\times$), die Penthemimeres nach dem fünften halben Versfuß, also nach der dritten Hebung, und die Hephthemimeres nach dem siebten halben Versfuß, also nach der vierten Hebung.

Der Römer empfand es als störend, wenn am Ende eines Wortes und am Anfang des nächsten Wortes Vokale aufeinandertrafen, denn ein solcher Hiat (*hiatus* ›Kluft‹) unterbrach den Klangfluss. Ein Hiat liegt vor bei Aufeinandertreffen von auslautendem Vokal bzw. Vokal + *m* und anlautendem Vokal bzw. *h* + Vokal. Beim Lesen wird daher der auslautende Vokal bzw. Vokal + *m* ausgestoßen (Elision), z. B. *medioqu(**e**) **ut***, *ill(**um**) **o**racula*, *quant(**um**) **haec***. Ist das zweite Wort mit dem anlautenden Vokal *es* oder *est*, so wird das anlautende *e* ausgestoßen (Aphärese), z. B. *sat**a*** (***e***)*st*. Zwei innerhalb eines Wortes benachbarte Vokale können als einer gesprochen werden (Synizese), z. B. *d**ei**nde, ant**eh**ac*.

Die metrische Gestaltung eines Verses steht häufig in Wechselwirkung mit seinem Inhalt. Gehäuftes Auftreten von Spondeen verlangsamt das Sprechtempo, Daktylenhäufungen beschleunigen es. So können zum einen Langsamkeit, Trauer oder Mühsal ausgedrückt werden, andererseits aber auch Fröhlichkeit, Ausgelassenheit oder z. B. die reißende Geschwindigkeit eines Flusses.

Eine systematische Einführung mit weiteren Einzelheiten bietet: Stephan Flaucher, *Lateinische Metrik*, Stuttgart 2008 (Reclams Universal-Bibliothek Nr. 17671).

Dichtersprache

Abgesehen von der Metrik unterscheidet sich die Sprache Ovids auch in folgenden Punkten von Prosasprache:

Formenlehre – Verbum: Verwendung von Kurzformen (Perf. Ind. Akt.: *turbavēre* statt *turbavērunt*; Präs. und Fut. Pass.: *tuebere* statt *tueberis*); Wegfall von *-vi-* bzw. *-ve-* im aktiven Perfektstamm (*agitāsse* statt *agitavisse*, *narrāsset* statt *narravisset*).

Formenlehre – Substantiv und Adjektiv: Akk. Pl. Mask. und Fem.: *-īs* statt *-ēs* (*mollīs precēs* statt *mollēs precēs*); Gen. Pl. o-Dekl.: -um statt -orum (*deum* statt *deorum*); griechische Fremdwörter und Eigennamen: Gen. Sing. auf *-ēs* (*Thisbēs*, *Phoebēs*, *Daphnēs*, *Arachnēs*, *Eurydikēs*), Akk. Sg. auf *-ēn* (*Danaēn*, *Rhodopēn*, *Antigonēn*, *Asteriēn*, *Cretēn*, *Persephonēn*, *Aeneadēn*), *-an* (*Midan*), *-on* (*Paphon*, *Pactōlon*), *-ona* (*Tritona*, *Damasichthona*) oder *-a* (*Pallada*, *Styga*, *aëra*, *aethera*); Kurzformen, z. B. *et* statt *etiam*, oder *pericla* statt *pericula* (Synkope); »poetischer Plural«: Verwendung vom Plural statt Singular: *ōra* statt *ōs*, *cērās* statt *ceram*.

Satzbau und Wortwahl: Verwendung des bloßen Kasus statt Präposition + Substantiv, z. B. Abl. loci: *silvīs* (statt *in silvīs*) *latēre*: in den Wäldern verborgen sein; Substantiv + Adjektiv statt Substantiv + Genitiv: *manus patria* (›die väterliche Hand‹) statt *manus patris* (›die Hand des Vaters‹); Verwendung des Verbum simplex statt des Kompositums (*simplex pro composito*: *tendit* statt *contendit*) oder umgekehrt (*adoperta* statt *operta*).

Dichterischer Wortschatz: *mortalēs* statt *hominēs*, *natus* statt *filius*.

Viele der genannten Eigenheiten dichterischer Sprache sind bedingt durch die metrische Form, denn oftmals passt eine in der Prosa übliche Wendung nicht in das Versmaß. Daher finden sich in der Dichtung auch die Prädikate nicht immer am Ende, unterordnende Konjunktionen selten am Anfang eines Nebensatzes. Substantive und dazugehörige Attribute stehen häufig nicht nebeneinander (s. Stilmittel: Hyperbaton).

Rhetorische Stilmittel

Die **Alliteration**: Mehrere aufeinanderfolgende Wörter beginnen mit dem gleichen Anlaut. ***si se** non noverit* (»Wenn er sich selbst nicht kennen lernt«, *Met.* 3,348)

Die **Anápher**: Wiederaufnahme desselben Wortes am Beginn von Sätzen oder Satzteilen. ***fecit** et Asterien* [...], / ***fecit** olorinis Ledam recubare sub alis* (»Sie bildete auch Asterie ab [...], sie bildete Leda ab, die unter Schwanenfedern ruhte«, *Met.* 6,198 f.)

Die **Antithése**: Entgegengesetzte Wörter oder Wortgruppen werden gegenübergestellt. ***omnia** possideat, non possidet **aëra** Minos* (»Mag er alles besitzen, den Luftraum besitzt Minos nicht«, *Met.* 8,187)

Die **Antonomasie**: Ein Eigenname wird durch eine Bezeichnung von Herkunft oder Eigenschaft umschrieben. ***Rhodopeius vates*** (»der Seher aus dem Rhodopegebirge« für Orpheus, *Met.* 10,11 f.)

Die **Apóstrophe**: Abwendung des Erzählers von der Handlung und Anrede einer abwesenden Person oder einer Sache. *inque tuo sedisti, **Sisyphe**, saxo* (»Und du, Sisyphos, saßest auf deinem Felsblock«, Met. 10,44)

Das **Asýndeton**: Unverbundene Reihung. Aneinanderreihung von Wörtern oder Sätzen ohne verbindende Konjunktion. *at sibi dat clipeum, dat acutae sucpidis hastam, / dat galeam capiti* (»Sich selbst jedoch gibt sie einen Schild, eine Lanze mit scharfer Spitze und einen Helm auf den Kopf«, *Met.* 6,78 f.)

Der **Chiásmus**: Spiegelbildliche Anordnung sich entsprechender Satzglieder. ... ***aureus** ut Danaen, Asopida luserit **ignis**.* (»[Sie zeigte], wie er als goldener Regen Danae, die Asopustochter als Feuer täuschte«, *Met.* 6,113)

Die **Ellipse**: Weglassung sinngemäß leicht zu ergänzender Wörter. *exitus auspicio gravior (**erat**)* (»Der Ausgang war noch schlimmer als das Vorzeichen«, *Met.* 10,8)

Die **Enallagé**: Beziehungsverschiebung: Ein Adjektiv gehört grammatikalisch und sinngemäß zu verschiedenen Begriffen. ***timido pede** fugit* (»Sie floh mit ängstlichem Fuß«. – Das Attribut gehört sinngemäß zur handelnden Person: die fliehende Thisbe ist ängstlich. – *Met.* 4,100)

Das **Epítheton órnans**: Schmückendes Beiwort, das vom Sinn her nicht notwendig erforderlich ist, aber formelhaft wiederkehrt. ***caeruleus*** *frater* (wörtl. »der wasserblaue Bruder«, der Meeresgott Neptun, Bruder des Jupiter, *Met.* 1,275)

Die **Figura etymológica**: Verwendung von Wörtern aus derselben Wortfamilie. (*cera*) *ipsoque fit* ***utilis usu*** (»Das Wachs wird erst durch seinen Gebrauch brauchbar«, *Met.* 10,286)

Die **Geminatio**: Doppelung. Ein Wort oder eine Wortgruppe im Satz wird wiederholt, um dadurch Nachdruck zu verleihen. *utque* ***dedit*** *notae lacrimas,* ***dedit*** *oscula vesti* (»Und sobald er das bekannte Gewand beweint, ihm Küsse gegeben hatte«, *Met.* 4,117)

Das **Hypérbaton**: Wörter, die grammatikalisch zusammengehören, stehen getrennt. ***aurea*** *prima sata est* ***aetas*** (»Als erstes entstand das goldene Zeitalter«, *Met.* 1,89)

Die **Litótes**: Verneinung des Gegenteils, dadurch vermeintliche Abschwächung der Aussage, die tatsächlich aber verstärkt wird. (*mensae*) ***nec*** *tostae frugis* ***egentes*** (»Tische, auf denen geröstetes Brot nicht fehlte« [= die beladen waren mit ...], *Met.* 11,120)

Die **Metapher**: Bildlicher Ausdruck. ***crescentesque*** *abstulit* ***annos*** (»Und raubte ihr die jungen [wörtl.: die wachsenden] Jahre«, *Met.* 10,24)

Die **Metonymie**: Wortvertauschung. Ersetzen eines Begriffs durch einen ihm gedanklich nahe stehenden (Ursache – Wirkung, Autor – Werk, Stoff – Gegenstand). ***pinus*** (›Fichte‹) statt Schiff.

Der **Parallelismus**: Parallele Anordnung sich entsprechender Satzglieder. ***nulli*** *illum* <u>*iuvenes*</u>, ***nullae*** *tetigere* <u>*puellae*</u> (»Kein junger Mann, kein Mädchen konnte ihn berühren«, *Met.* 3,355)

Die **Periphrase**: Umschreibung eines Wortes oder Namens durch mehrere andere. *o* ***positi sub terra numina mundi*** (»Oh ihr Götter der Unterwelt« [wörtl.: »Oh ihr Götter der Welt, die unter der Erde liegt«], *Met.* 10,17)

Die **Personifikation**: Vermenschlichung von Begriffen oder Dingen. ***invide paries,*** *quid amantibus obstas?* (»Neidische Wand, was stehst du den Liebenden im Weg?«, *Met.* 4,73)

Der **Pleonásmus**: Übertriebene, für das Verständnis unnötige Anhäufung sinngleicher Ausdrücke. *Quod iam vix* ***auribus*** *ille /* ***acciperet*** (»Was jener mit den Ohren kaum mehr hörte«, *Met.* 10,63)

Das **Polýptoton**: Dasselbe Substantiv/Verb wird in verschiedenen Flexionsformen verwendet. *quoque magis* ***tegitur, tectus*** *magis aestuat ignis* (»Und je mehr es bedeckt wird, desto mehr lodert das bedeckte Feuer [der Liebe]«, *Met.* 4,64)

Das **Polysýndeton**: Wörter oder Satzteile werden wiederholt durch dieselbe beiordnende Konjunktion verbunden. *affuit ille quidem, sed* ***nec*** *sollemnia verba /* ***nec*** *laetos vultus* ***nec*** *felix attulit omen* (»Jener war zwar anwesend, brachte aber weder feierliche Worte noch fröhliche Gesichter noch ein glückliches Vorzeichen mit«, *Met.* 10,4 f.)

Die **Prolépse**: Vorwegnahme. Ein Adjektiv drückt bereits die Folge oder Absicht einer Prädikatshandlung aus. *in* ***nova*** *fert animus mutatas dicere formas /* ***corpora*** (»Mein Geist treibt mich dazu, von Gestalten zu erzählen, die in neue Wesen verwandelt wurden«, *Met.* 1,1 f.)

Die **Synékdoche**: Gebrauch des engeren Begriffs statt des weiteren oder umgekehrt. Am häufigsten: pars pro toto (›ein Teil für das Ganze‹). ***cardinem*** *versare* (»die Tür öffnen« [wörtl.: »die Türangel drehen«], *Met.* 4,93)

Das **Zeugma**: Unpassende Verbindung. Meist Bezug eines Prädikats auf mehrere Substantive, von denen nur eines wirklich passt. ***turaque dant*** *et* ***verba*** *precantia* (»Sie opfern Weihrauch und beten« [wörtl.: »Sie geben Weihrauch und bittende Worte«], *Met.* 6,164)

Literaturhinweise

Textausgaben und Übersetzungen

P. Ovidius Naso. Metamorphoses. Lat./engl. Übers. und hrsg. von Frank Justus Miller und G. P. Goold. 2 Bde. Cambridge (Mass.): Harvard University Press, [3]1977 [Buch 1–8]. [2]1984 [Buch 9–15]. – *Auf dieser Edition basiert der lateinische Text der vorliegenden Ausgabe; er wurde unter Hinzuziehung der anderen genannten Ausgaben überarbeitet und an die schulischen Erfordernisse (Interpunktion, Orthographie) angepasst.*

P. Ovidii Nasonis Metamorphoses. Hrsg. von William S. Anderson. Stuttgart/Leipzig: Teubner, [5]1991.

Ovid. Metamorphosen. Lat./dt. Übers. und hrsg. von Michael von Albrecht. Stuttgart: Reclam, 1994 [u. ö.].

P. Ovidius Naso. Metamorphosen. Lat./dt. Hrsg. und übers. von Gerhard Fink. Düsseldorf/Zürich: Artemis und Winkler, 2004.

Einführungen und weiterführende Literatur

Albrecht, Michael von: Geschichte der römischen Literatur. München [2]1997.

– Das Buch der Verwandlungen: Ovid-Interpretationen. Düsseldorf/Zürich 2000.

– Ovid. Eine Einführung. Stuttgart 2003.

Büchner, Karl: Die römische Lyrik. Texte, Übersetzungen, Interpretationen, Geschichte. Stuttgart 1976.

Fuhrmann, Manfred: Geschichte der römischen Literatur. Stuttgart 1999.

Holzberg, Niklas. Ovid: Dichter und Werk. München 1997.